ブレイクスルー・トライアル

伊園　旬

宝島社
文庫

宝島社

この作品は、二〇〇七年一月に小社より単行本として刊行されたものです。

目次〈contents〉

建物見取り図

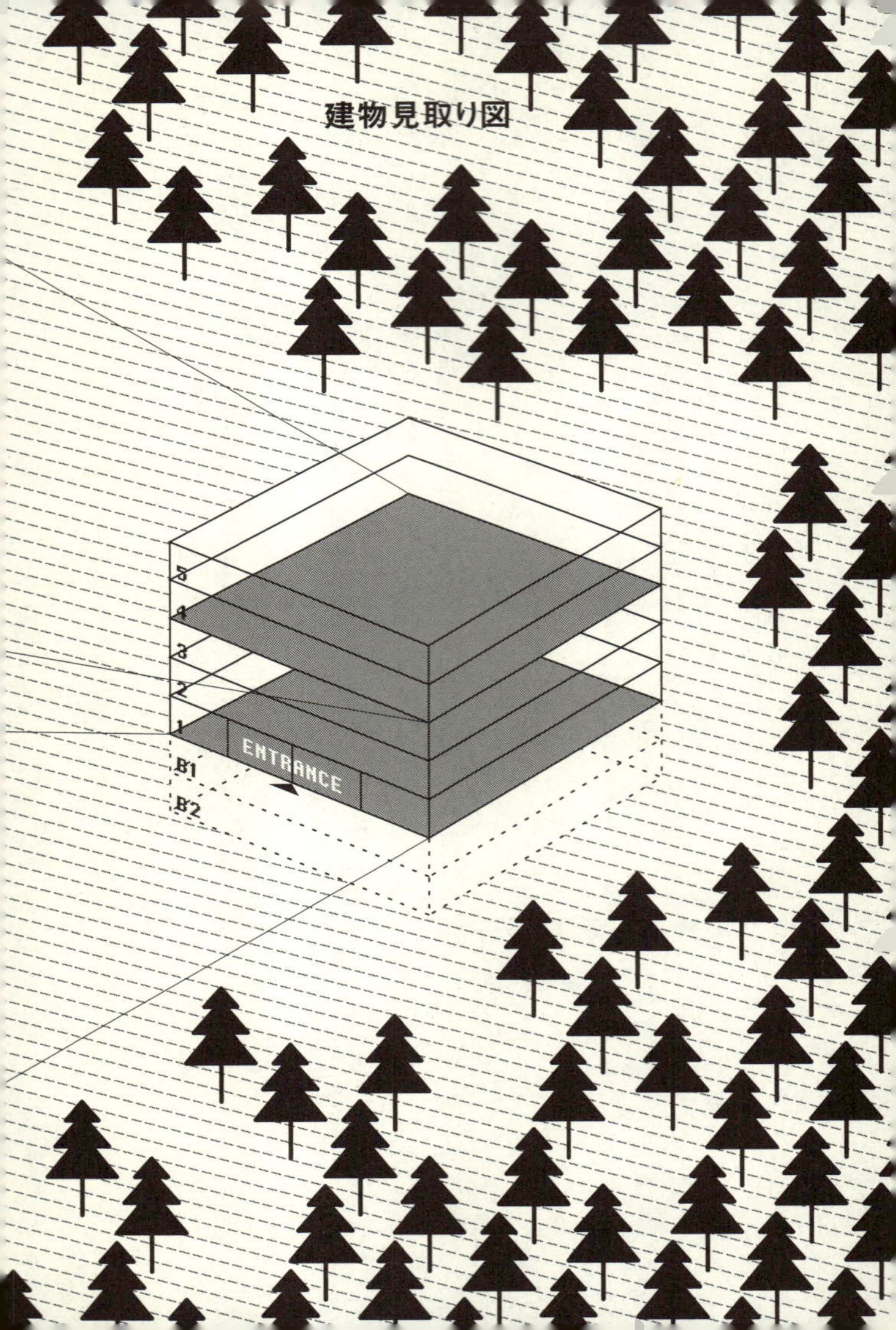

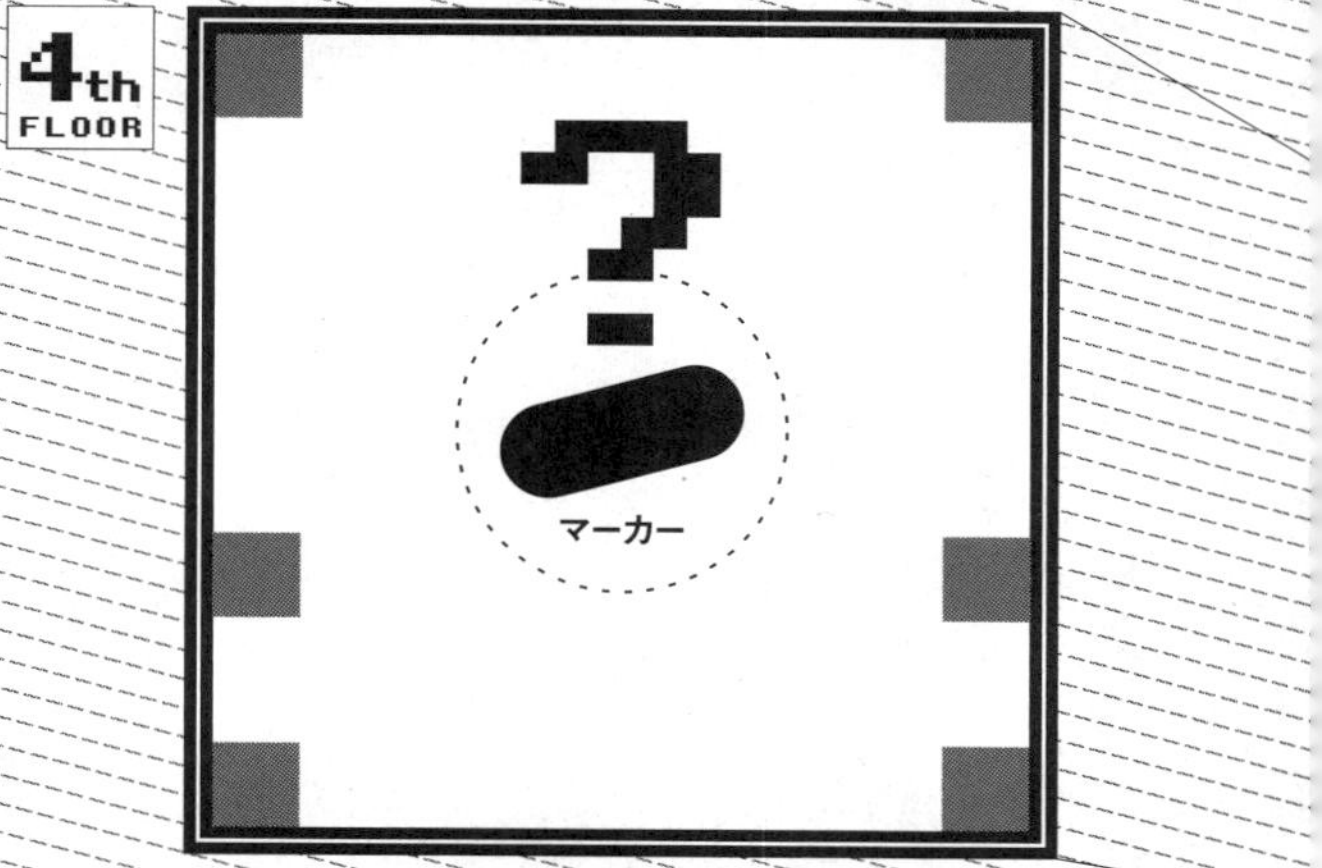
4th FLOOR
マーカー

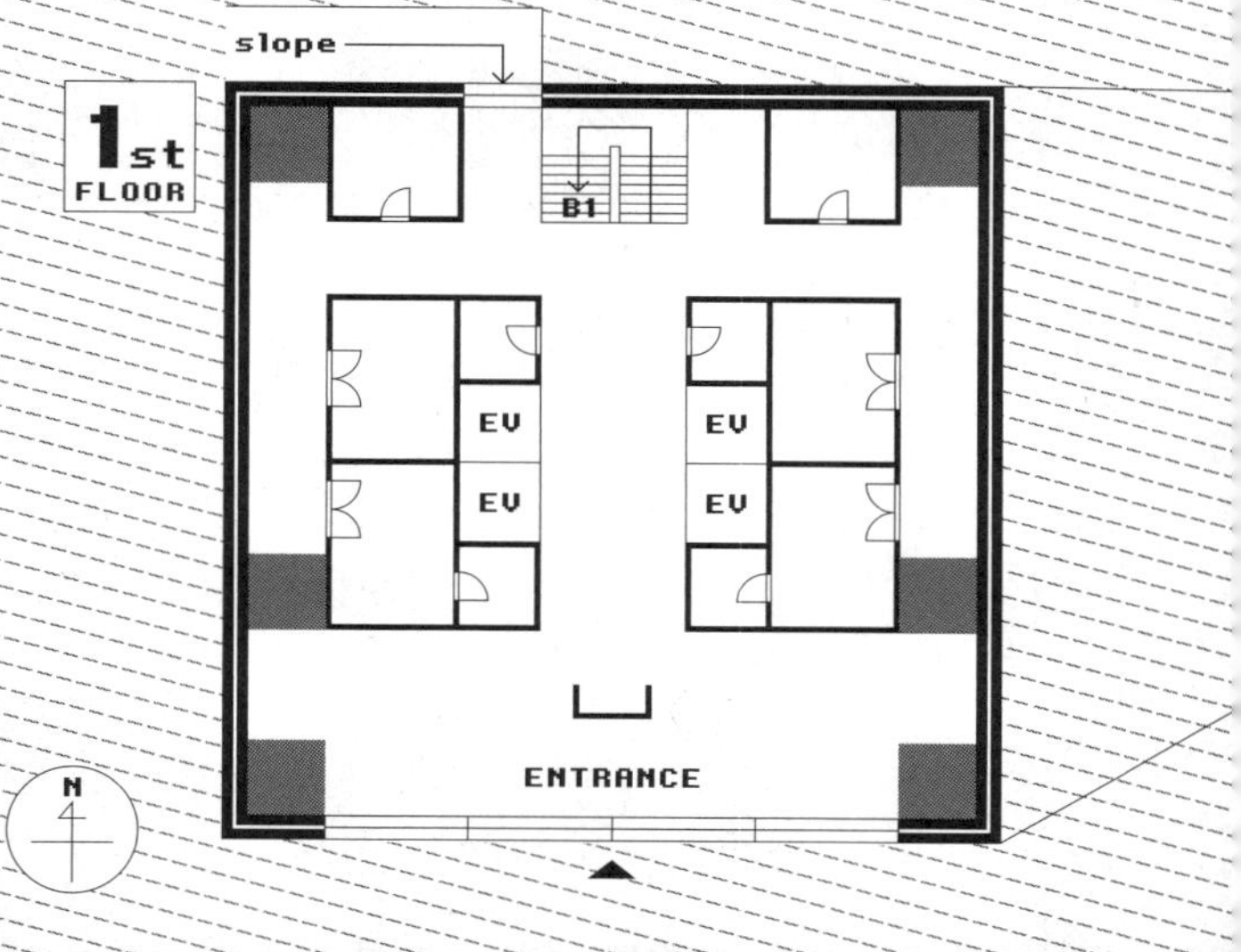
slope
1st FLOOR
B1
EV
EV
EV
EV
ENTRANCE
N

登場人物

〈第一のチームとその周辺〉

門脇《かどわき》雄介《ゆうすけ》…セキュア・ミレニアム株式会社総務部員

丹羽《にわ》史郎《しろう》…門脇の親友

中井《なかい》馨《かおる》…元セキュア・ミレニアム株式会社総務部員

加島《かしま》縁《ゆかり》…元セキュア・ミレニアム株式会社人事部員

堀内《ほりうち》亜弓《あゆみ》…セキュア・ミレニアム株式会社人事部員

〈第二のチームとその周辺〉

破風崎《はふざき》仁《じん》…宝石強奪犯リーダー

棟安《むねやす》甚市《じんいち》…破風崎の仲間

瓦柴《かしば》透《とおる》…破風崎の仲間

簾並《すなみ》真《まこと》…展示会場へのガイド

《蛙《かえる》》…研究所へのガイド

〈第三のチーム〉

セルフレーム眼鏡の男…ワタナベ製作所社員
メタルフレーム眼鏡の男…ワタナベ製作所社員
縁なし眼鏡の男…ワタナベ製作所社員

〈管理人とその周辺〉

草壁修造《くさかべしゅうぞう》…研究所管理人
草壁梓《くさかべあずさ》…草壁の娘
梁本剛《はりもとつよし》…梓の恋人

〈主催者とその周辺〉

遠屋敷《とおやしき》**一眞**《かずま》…ネクスト・ミレニアム・グループ会長
二階堂勝利《にかいどうかつとし》…システムトライアンフ社長
佐倉田要《さくらだかなめ》…二階堂の部下
框《かまち》　**清十郎**《せいじゅうろう》…弁護士《ブレイクスルー・トライアル》立会人
鴨居郡司《かもいぐんじ》…新聞記者《ブレイクスルー・トライアル》立会人

ブレイクスルー・トライアル

第一章　調査研究〈Research & Development〉

1

冷たく澄んだ空気の中で、月は明るく青白い。辺りに光を発するものが少ないせいか、星の数も東京より格段に多く感じる。緑の草が綺麗に生え揃ったなだらかな丘には、濃い色をした針葉樹林が厚く載っていた。その向こうに上半分を覗かせている焦茶色の立方体、あれがターゲットとなる建物だ。晴れた夜空を背景にしたその研究所は話に聞く難攻不落の要塞というよりも、まるで洒落《しゃれ》たチョコレートケーキのような、とっておきのお楽しみに見えた。

ここまで運転して来た男が、俺の隣でルーフを開ける操作をしながら言う。

「あの通り外観はシックな資産家の邸宅か、郷土史の記念館風に見えるだろ。しかし中はどんな警備システムが敷かれているのやら。新旧取り混ぜ色々と仕掛けてある、トラップの宝庫なんだろうな」

俺は否定も同意もしなかった。

「最新式システムを取り入れたはいいが、全体のバランスを欠いてて使い物にならない状態ってこともあるぞ」

乗って来た青いキャデラックSRXのルーフが全開になると、外気の予想外の冷え込みに二人とも首をすくめた。そこから顔を出して月明かりに目を凝らす。

「門脇《かどわき》、これを使うといいよ」

「お、どうも」

彼はダッシュボードから双眼鏡を取り出して渡してくれた。俺はストラップを首にかけながら訊ねる。

「ここからじゃよく見えないが、警備員や犬もいるんじゃないか？」

レンズを通すと拡大された建物の外観が迫ってくる。壁は煉瓦造りでなく縦長のタイル貼りで、色もかなり黒っぽかった。遠目には立方体に見えていた外形も、水平に近い屋根の縁がほんの少しだけ周囲にせり出しているとわかる。そのあるかなきかの軒下に、黒い円筒形の監視カメラが設置されていることも確認できた。

「……うーん、悪いね。その点は今のところ未調査」

彼は問いに答えようとファイルを開いて、ペンライトの明かりで資料を当たっていたようだった。

「君の方の情報は何かある？」

俺は知る限りのことを話してやる。

「社内の話じゃ、あの研究所には最新式の独立型自動化システムが導入されていて、外部と完全に遮断され、閉じた運用が可能なんだ。監視カメラは警備会社でなく屋内の詰所に繋《つな》がっているし、各種センサーも館内に装備されたシステムに対してのみアラームを上げるように設定できる。だから外部警備会社センターでの二十四時間監視任せにしない、独自の態勢が取れるというわけ。ただこれはあくまでもそういう運用ができるという話であって、実際にそうしているとは限らない」

「確かに人の気配はあまり感じられないね。君や広報の言う通り、きっと独立型の運用なんだよ」

言葉の一部に引っ掛かる。

「広報って？」

「先月あそこで、投資家や大手顧客だけが招かれる新システムの内覧会があって、その時配られた資料を入手してある。もっとも肝心の部分は口頭での説明に留《とど》まったそうだけど」

彼はファイルから書類束を取り上げて指先で弾いた。《関係者外秘》と書いてあるところを見ると、どうやら招待客の一人を抱き込んで、配布された資料を回収されてしまう前にすり換えて持ち出させたらしい。顔に似合わず悪どいことをやるものだ。

もっとも俺の義憤は単に、前の職務上の立場からくるものに過ぎなかったが。

時は九月半ば、所は北海道の内陸地帯。東を大雪山系《だいせつざん》、南を十勝山系《とかちさん》に囲まれた上川《かみかわ》盆地の一角だ。あの建物を含めた広大なエリアが丸ごと、一企業の所有になっている。なだらかな丘の直径はざっと三キロメートルといったところか。

遮る物のない広々とした野を風が吹き渡る。かなり冷えてきた。この北の土地では秋も冬もいち早くやって来るのだろう。俺はマフラーを上着の襟の中へ押し込んで、周囲の状況を含めた全景を見渡した。

「なあ丹羽《にわ》、写真は撮らなくていいのか？」

俺の言葉に彼は調子良く答えた。

「以前昼間に来た時に、もうたくさん撮ってあるよ。今日は君に決心してもらうためだけのプレゼンなんだと思ってくれ」

とか何とか言いつつ帰りには、携帯の電波の届かない範囲を確認して回ることになっている。携帯電話ショップの営業ウーマンが申し訳なさそうに説明してくれた通り、付近一帯は圏外になっているわけだが、この場合の俺達には逆にその方が望ましい。

俺はルーフの閉まる前に、見納めのつもりでもう一度丘の上の建物を眺める。それはやはり、いかにも愛らしい様子で佇んでいた。子供の頃にお気に入りだった絵本の頁《ページ》のように、繰り返し見る夢の中の景色のように、どうにかして傍へ行き、中へ入ってみたくてたまらなくなる、不思議な魅力を発散しながら。

2

三十四にもなった大の男が、下戸だとか甘党だとかいうことを白状するのはなかなか気恥ずかしいものである。しかし今、この旭川《あさひかわ》空港内の軽食コーナーで俺の目の前に座り、眼鏡が曇るのを気にしながらバターコーンラーメンをすすっている奴は学生時代の親友で、女の好みから第二外国語の追試の点数まで周知の仲だ。こいつが下戸だなんてことも、俺が甘党だなんてことも、お互いとっくにわかっている。

丹羽史朗《しろう》。俺、門脇雄介《ゆうすけ》と同じ大学の同じ学部を同じ年度に卒業したこの優男《やさおとこ》は、やや長めの茶色の髪と屈託のない笑顔のせいで実際の年齢より若く見えるが、それを嬉しく思っているかどうかはわからない。女に受けの良さそうな容姿に恵まれてもいたが、それを満更でもなく思っているのは知っている。

学生時代の同期の中で妙に気が合ったものだから、一緒にいる時間が一番長かった。居酒屋や俺の下宿で何度も徹夜で飲み明かし、初体験の顛末から将来の進路まで語り合ったわけだから、照れながら親友と呼んでもまあ差し支えないんじゃないかと思う。

　それでも卒業後はぱったりと会うことがなくなった。やがては連絡を取り合うこともしなくなった原因は、ひとつには俺の家庭の事情のせいでもあったが。彼の方にも理由があったようなのだ。それを聞かされたのは卒業から十二年も経ったつい先々週、突然再会してからさらに後のことだった。

　俺は一足先に石狩味噌ラーメンを片付け、スープを飲みながら思った。こいつに比べれば、俺の方が幾分老けて見えるに違いない。ＩＴ系企業の総務部門に務めるサラリーマンとして、俺は髪の色も長さも、シャツの色からネクタイの柄まで、外見はいたって平凡で目立たない。そのように努力しているからでもある。もみ上げを少々伸ばしているのはオヤジくさくならないためのささやかな抵抗に過ぎず、身体能力を維持するためのトレーニングは日頃から怠らなかったし、物心ついた頃から強《し》いられている特別な緊張感からか、甘党にもかかわらず腹周りの余計な脂肪なんてものも、それはそれで目立たない――。

　そこまで考えて急におかしくなる。俺は何をむきになっているんだろう。この古い友と再会してから、長らく忘れていた同世代の男への対抗意識が蘇ってきたようなのだ。まるで切っていたスイッチを入れ直したかのように。

そんな感慨に耽《ふけ》っている時だった。突如視界に飛び込んで来た物体に、丹羽と俺は二人同時に目を奪われてしまう。それがあまりにも華やかで印象的だったから。

通路を抜け、空港ビルの外にあるタクシー乗り場の方へ大きなストライドで歩いてゆく派手な女だ。赤味がかった艶やかなストレートのロングヘア。目元はサングラスに覆われていてさえ大きくて表情豊かなのがわかったし、唇がまた形良くゴージャスなボリュームを誇っている。短い毛皮のボレロの下のラメで飾られたTシャツや、ローライズのクラッシュジーンズと膝丈のローズ・タンのブーツには、まるで加圧充填したように胸と腰と脚をきっちりと封じ込めていた。何と強烈で心地好い刺激。

断わっておくが決して俺の好みじゃない。その証拠に欠点ならいくらも思いつく。品がないとか、気が利かなそうだとか、頭が悪そうだとか。しかしながら遺伝子を残すための配偶者獲得競争に悉《ことごと》く打ち勝つであろう、溢《あふ》れんばかりの生命力を彼女は確かに備えていて、その点で他を圧倒していた。

少々ひねくれているかも知れない俺などを除けば、概して男はこういうタイプが嫌いじゃない。特にこいつ、丹羽にとっては——女の好みが学生時代のままならば——まさにド真中ストライクのはずだ。案の定、丹羽の首から上は彼女の動きを追って、完全に横を向いてしまっている。

だろ？　わかったわかった、お前は昔と変わっちゃいないよ。わかったからそんなに物欲しそうに見るな。あんまりあからさまに見つめ過ぎると、彼女のすぐ後ろを荷物を抱えて付いて行く、身の丈二メートルもありそうな筋肉質の野郎に睨まれるぞ。

「おい」

俺はテーブル越しに奴の肘を突付く。

「……あァ？」

これだ。俺にこの話を持ちかけてきた時の如才なさはどこへやった。派手な女と荷物を持った大男はもうすっかり遠ざかり、空港ビルの外でタクシーを摑まえて乗り込もうとしていた。

「おい、あんな『グラディエーター』みたいな奴にかなうとでも思ってるのか」

「『ランボー怒りの脱出』みたいな奴？」

「『コナン・ザ・グレート』みたいな奴」

「『超人ハルク』とか」

「何か、だんだん古くなってないか？」

丹羽はそれには答えず、自分の頭を指差して悪戯《いたずら》っぽく言った。

「かなうさ。こっちでね」

「言ってろ」

ああ。やはりこいつは、昔のままなんだよな。俺は何年も前の既視感に襲われ、つい先々週の記憶を反芻《はんすう》し、笑い出しそうになり、実際に笑い、そして決断した。

「ああもう――わかった。やるよ」

彼の誘いを受け、競技に参加するという意味だ。そう言った途端に丹羽は身を乗り出した。

「本当か！」

「本当だ。エントリする決心がついたぞ」

俺がきっぱり答えると、一旦は目を輝かせておきながら、丹羽は人の好い一面をのぞかせる。

「――君にしてみれば、長年勤めた会社に背を向けることになるわけだけど」

「別に会社に不満があるわけでもないが、といって未練もない。第一俺がこのまま真面目に生涯一総務部員を勤め上げるような人間だと思うか？」

彼はニヤリとした。

「思わない」

「よし。メンバーはお前と、俺と、それから？」

「他はまだ決めてない。君が最初だ」

心底嬉しそうに微笑む丹羽に笑い返して、言葉にせず思った。お前はあまりに昔のまんまだ。その上断わるのが勿体ないような面白い話を持って来やがった。俺はこの時、自分が抱えている諸々の心配事は差し置いて、裏や表を詮索しようともせず、参加したらきっと楽しいだろうと、それしか考えられなくなっていたかも知れない。

先々週、卒業以来数年ぶりに再会した丹羽が、俺に参加を持ちかけた競技とは——。

3

出勤途中、ターミナル駅のコーヒーショップで新聞を読むため毎朝少しだけ時間の余裕を作る。先々週、九月初めの月曜日、いつものように俺はソーサー片手に空席を探していた。対面式のカウンター席が確保できるといいんだが。その場所で上手《うま》くタイミングが合えば、二十センチ高の磨《すり》ガラスのパーティションを隔てた向かい辺りに、感じのいいOLが座るからだ。

彼女は長過ぎないように整えた爪に綺麗にマニキュアを施していたし、体重も肌のコンディションも、丁寧に巻いた髪の一筋からアイラインの一刷毛《はけ》に至るまで、外見を自分の思い通りにコントロールすることに成功している、要するに型通りの美人だった。が、俺はそんなことに興味を引かれたのではない。ちょっといいなと思ったのは彼女の読書傾向だ。小口の黄色いペーパーバックスはアリステア・マクリーン、ジャック・ヒギンズ、ギャビン・ライアルといったクラシックな冒険小説ばかり、そういう型にはまった女にしては面白い。高そうな身なりや隙のない化粧に恐れをなしてまだ口をきいたことさえないが、いつか雑談を交わす程度になれはしないかと淡い期待を抱いている。独身男の日常生活における罪のない楽しみだった。

ところが今朝はその彼女がいない。諦め悪く視線を巡らせてみるが、やはり姿は見当たらず、いつもの席では俺と同年代の男がノートパソコンを広げているだけだ。思いがけずそいつの印象に引っ掛かる。

俺はＯＬに対するのとは別種の興味を抱いて、男の正面に座ることにした。新聞を広げて読むふりをしながら、さりげなく相手を観察する。

パーティションの磨ガラスに施された似非《えせ》ラリック風の装飾のせいで、パソコンはメーカーも機種もわからない。体格は俺と似たような中肉中背、歳の頃は少し下だろうか。色を落とした髪をやや長めに伸ばして、薄い茶色の眼鏡をかけている。純白とコントラストの強い鉄色縞のクレリックシャツの衿元はノータイ、カフスはダブル、紺のブレザーは夏物なりに重みを感じさせる上等の生地だ。自信たっぷりに崩した着こなしからは俺のような安サラリーマンにはない洒落っ気が窺《うかが》えた。サラリーマンだとしても広告関係か外資系の企業に勤める、ずっと年収の高い層に違いない。

　驚いたことに、相手は急に顔を上げて俺を見た。後になって何度も思い返し、酔っ払う度に語り草にしたくなる、その時彼はこう口火を切ったのだった。

「いくら何でも、もう思い出せたんじゃないの」

「はァ？」

　こっちが初対面だと思っていた人間から突然話しかけられて面食らっていると、その男は少し傷ついたような顔をして俺の名を呼んだものだ。

「門脇雄介だろ。僕を憶えてない？」

　実のところ、ちっとも初対面なんかじゃなかった。

「……丹羽か？　ゼミで一緒だった丹羽史朗」

「そういうこと」

　当時親しかった友人をすぐに思い出せなかったのは悪かったが、俺にも弁解の余地はある。あの頃はこんな気取った男じゃなかったからだ。一転して嬉しそうな表情になった彼からは気障《きざ》な印象がどこかへ消え失せ、俺の知っている丹羽が現われた。

「久しぶり」

そして懐かしの同窓生はこう切り出したのだ。

「突然で悪いけど。君はジャック・フットレルの『十三号独房の問題』を読んだことがあるか？　もう一つ。ニューヨーク・タイムズ・デジタル社CEOのナイセンホルツと、ブログのユーザーランドを運営するデイブ・ワイナーがどんな賭けをしているかを知ってるか？」

何だそりゃ。妙な質問だ。俺は推理小説好きを自称するがマニアではない証《あかし》に一つ目の問いにはNoと答え、しがない総務部員ながらIT産業の一翼を担う者として二つ目の問いにはYesと答えた。ついでに説明もしてやる。

「ナイセンホルツの賭けってのは、二〇〇七年時点でその年の五大ニュースに関連したキーワードを検索したら、結果にブログとニューヨーク・タイムズ紙サイトのどちらがより上位に表示されるか、ってやつだろ。だけど独房っていうのは一体何のことだ？」

俺の回答に丹羽は意外そうに頷《うなず》いた。俺が一つ目の問いにはYes、二つ目の問いにはNoと答えると予想していたらしい。マニアのお前と一緒にするなよ。

「うん。ミステリの古典で、純粋に論理を尽くせば解決できないものはないと豪語する学者が実験のためにわざと刑務所に入れられて、新聞社立ち会いの下で脱獄してみせる話だよ。これはフィクションだけど、ナイセンホルツのは実話だ。そしてこれから君に話すことはその両方に似ている」

そういう奇抜な前置きをして彼が持ち出したのは、奇妙なゲームめいたセキュリティ・アタックへの誘いだったのだ。

「再会できてもちろん嬉しいわけだけど。その辺の感慨はちょっと置いといて正直に説明すると、これは偶然じゃない。君に協力を仰ぐため、人を頼んで方々探した」

こいつが頼み事をする時の口調は決まっている。遠慮がちに、ことさらに真面目な顔をして、駄目ならすぐに引き下がるという雰囲気を言外に滲ませるのだ。俺は強烈な既視感を憶えた。

「結果、行方のわからなくなっていた君を見つけて、この近くの会社に勤めていると突き止めたんだが、そうしても構わなかっただろうか？」

「どういう意味だ？」

丹羽は少し言いにくそうに説明した。

「つまり――失礼な言い方になるけど――君が卒業生名簿への変更届も出さずに頻繁《ひんぱん》に引っ越した事情が誰かから逃れるためだったとすれば、僕は調査会社を使ってまで探し出してはいけなかったことになる」

なるほどね。その心遣いには痛み入るよ。

「あー、いや。別に夜逃げしたわけじゃないから、心配しなくていい」

俺はもう今となっては追われちゃいないし、逃げてもいない。でかい借金を抱えてはいるが。

「卒業後の足跡を消すような行動に出てしまったのは、純粋に気分の問題だ。世間の荒波に漕ぎ出すに当たり、身寄りも後ろ盾もない俺なりに、気合を入れてかかりたかったんでね」

「それって、すごく君らしいよ」

丹羽は少し笑ってわかっている、というような顔をした。実際わかってくれている。だから、こいつだけには気を許せる。俺はうっかり胸を熱くしてしまったのをごまかそうとして先を促す。

「で、協力っていうのは?」

「話だけでも聞いてくれる気になった？　じゃあ悪いけど今日は遅刻を覚悟してくれ」

強引なのか律儀なのかわからない奴だ。俺が頷くと丹羽は得々として、カウンター上で開いていたノートパソコンを回しこちらへ向けた。ＩＢＭ製ThinkPadのディスプレイに表示されていたのは、わが国最大部数を誇る全国紙、東日新聞社のニュースサイトだった。

「今年初めの記事だよ」

「読めって？　《経産連新年会で新興ＩＴ企業トップが火花》――」

どこかのホテルの大広間、金屏風《きんびょうぶ》の前で撮影した複数の人物の写真画像がついている。主役は中央にいる二人の男で、いずれ劣らぬ精力的な風貌を付き合わせていた。今年五十九歳になる遠屋敷《とおやしき》一眞《かずま》は四角い顔に半白の髪を後ろへ撫でつけ、腹の中はどうあれ顔には大物らしい鷹揚な笑みを浮かべている。五十歳の二階堂《にかいどう》勝利《かつとし》は秀でた額に助長される面長の顔に、神妙というより慇懃《いんぎん》な無表情を貼り付けていた。この同業者同士は、誰もが知る有名人である。

ネクスト・ミレニアム・グループは、遠屋敷一眞という名物経営者をトップに頂く総合ＩＴ産業だ。新方式の検索エンジンに端を発するポータルサイトとして名を馳せた西暦二〇〇〇年の創立以来、次々と買収や合併を重ねて倍々ゲームで成長を続けてきた、今や破竹の勢いの巨大企業である。

一方で二階堂勝利の創業によるシステムトライアンフも、ミレニアムと同様ＩＴ産業界の新興企業だ。こちらの方が後発であるにもかかわらず、進出先は金融や通信社、放送局や映画産業にまで及び、成長力や多様性の点で、昨今の追撃著しい。

両社ともその発展性と大胆な経営戦略が業界やマスコミから注目を浴び、最近ではニュースや記事にならない日がなかった。企業としての特徴だけでなく、経営トップの強烈な個性が何かにつけ世間の耳目を集める点でも共通している。ただ、独自性の高い方法論による検索エンジンから出発して今も技術志向を色濃く残すミレニアムに対し、トライアンフはネットオークションやソーシャルネットワーキングサービス《SNS》上の異業種交流会主催といったビジネスモデル構築の巧みさにその特長があったので、二つの企業とその経営者が、実はカルチャー上は対立するとしてもおかしくない。

記事は件《くだん》の新年会で主催のスピーチが終わり、招待客が賀詞を交換し始めた直後の、二人が交わした挑戦とエールを伝えるものだったが。俺が一通り目を走らせるのを待って、丹羽は再び口を開いた。

「この時のやり取りについては、ミレニアム傘下の社員として、君も何か聞いてるんじゃない？」

俺はしばし答えを保留する。思い当たる事実がないわけでもない。

「――両社があからさまな競争関係にあることは以前から有名だ。そのトップ同士が人前で、結果的に挑戦状を叩き付け合った形になったってことなら知ってる」

おや、というように丹羽は首を傾げた。

「それだけ？　君のところの親会社のことじゃない」

俺の勤めるセキュア・ミレニアム株式会社は、遠屋敷一眞のネクスト・ミレニアム・グループの傘下になる情報セキュリティ関連子会社だった。まあ確かに——もう少しくらい詳しく教えてやっても差し支えないだろう。俺は知っている事実をしゃべっておくことに決めた。

「遠屋敷会長に同行していたうちの役員が聞いたところによると、きっかけは音楽コンテンツ配信方式における互いのビジョンの相違だったらしい——」

「あ、ちょっと待った、二人は別に初対面だったわけじゃないんだよね？」

「どうかな。両者とも、特にシステムトライアンフの方はここ二年程で急成長する前はほとんど目立たない存在だったからな。何かと比較されるようになってから人前で対話したのは、ことによると初めてかも知れないぞ」

「ふうん」

丹羽はカウンターに肘を付き身を乗り出して聞き入っている。

「ともあれこの新年会では、二人はお互いちょっとした持論を披露し合った。既存の音楽著作権保護論者である遠屋敷会長に対し、自由化・規制緩和推進派の二階堂社長はかなり挑戦的な言葉を吐いた」

「何て？」

「『どれだけ守ろうとしても自由化は世の趨勢《すうせい》で、保護など無意味だ。それはまるで、ショールームにある最新型の認証システムロック展示用の窓枠のようなものだ』と」

「わかりにくい喩《たと》えだね」

丹羽は不服そうな顔をした。

「まあな。ほら、よくあるだろ。展示会なんかで、床から立ち上がった窓枠や扉枠に開閉できる窓や扉が嵌《は》め込んであるだけの、周囲の壁がないやつ」

「あるある」

「扉が閉じられ施錠されていたとしても、いくらでも横を素通りできる。保護とはそういった形だけで無意味なもの、要するに効果などないものだと言いたいわけだ」

「そのまま言った方がわかりやすいよ」

ごもっとも。

「俺もそう思うが、皮肉をぶつけたい気分だったんだろうよ。それに対し遠屋敷会長は何と返したか。『公共心に富み意図と状況を理解する者なら嬉しがって窓枠を回り込んだりせず、必要な手順で正しくそれを利用するはずだ。そうしない者に対してはやはり、保護と制裁は必要だ』と」

「言うねえ」

「だよな。自由を拡大解釈して無邪気に振舞おうとする人間を揶揄《やゆ》し、頭が悪いと言っている」

しゃべりながらも俺は少々不思議だった。丹羽の表情はことさらに痛快そうだったから。どうしてなんだろう。還暦も近い遠屋敷会長が、後進の二階堂社長をほとんど言い負かした形になったこの一件は、だから彼の世代的共感を呼び覚ますものではないはずだ。若造代表としては苦々しく思う方が自然なのに。

「――あのさ、二階堂という男には一度会ったことがあるけど、そういう、後先考えない過激なところがあるんだよね」

個人的な反感か。ならばわからないでもない。

「で、そのやり取りをきっかけに、遠屋敷会長は守りを固めることの有意性を世に示したくなったというわけか」

「そういうわけだ」

どうやら俺の話は丹羽の聞きたかった細部を補完したらしい。彼は満足そうに頷いてブックマークを辿る。次に表示されたのは、実は丹羽に教えられる前から俺自身も相応の興味を持って眺めていた、ある競技イベントの参加者募集ウェブページだった。

「門脇、これは君の会社の企画だよね？」

「まあな」

というよりそれは件の新年会の一件に端を発するグループ会長の特命を受けて、セキュア・ミレニアム株式会社が企画製作したものだった。この参加者募集ページなら俺だって、すでに暗記してしまうほど見ている。《セキュア・ミレニアムは、確かな情報セキュリティをお約束します》と書かれたヘッドラインの下に、《BREAK-THROUGH》の文字をデザインしたバナーと共に《第一回ブレイクスルー・トライアル参加応募締切迫る》とあるのだった。

「これがどうしたって?」

俺は少なからず胸騒ぎを覚えながら先を促した。いや、期待と言った方がいいかも知れない。

「知ってるなら話が早い。君のところの会社が参加者を募集している、この公開セキュリティ・アタックは話題性抜群だよね」

くどいようだが親会社の命により、だ。

「まあな。マスコミ各社が取り上げてくれて方々で記事にもなったし、すでに結構な数のエントリがあったようだな」

そこで募っている内容とは——。

俺の勤務先セキュア・ミレニアム株式会社は、ネットワーク、情報管理、建造物の入出館セキュリティ等をコンサルティングからシステム構築まで一貫して請負っている。将来は二兆円以上の市場規模が見込めると言われる情報セキュリティ産業。その中でも住居やオフィスビルへの防犯システム分野に、得意のＩＴ技術を生かしたＩＤカード入館管理や生体《バイオメトリクス》認証から参入していたミレニアム・グループは、今後は周辺機器製造販売や警備員派遣といった多額の投資が必要な業域への拡大を課題として残し、虎視眈々と進出機会を窺っていた。

その足掛かりとして考えられ、件の新年会をきっかけとして発足した一大プロジェクトが今回の公募イベントである。名付けて《ブレイクスルー・トライアル》。我が社の研究実験施設として使用されている独立した建屋に、新製品や未発表の試作品による最新鋭の情報セキュリティを改めて施し、一般から公募したチームに思いおもいの方法で侵入を試みさせる。見事突破して建物内部にある所定のマーカーを入手、脱出成功した者には高額の賞金が授与されることになっているのだ。その額何と一億円。

募集対象はアマチュア、プロフェッショナルを問わない。ただしチームは必ず複数名から成るものとし、相応の危険が見込まれることを全員が理解し承諾し、加えて主催者側の制限事項を満たしているか審査し認められた者のみに、参加資格が与えられるのだ。事前の健康診断や体力測定により、身体能力が低い者や健康に問題のある者は除外される。さらに障害保険加入や誓約書提出などが義務付けられた。その結果、退職後の警備員から運動部の学生、情報セキュリティの研究者チームまで、多彩で有力な参加希望者が集まっているそうだ。

丹羽は改まって座り直し、思い詰めたような目をして切り出す。予想通りの内容だった。

「頼む、門脇。これにさ、僕と一緒にエントリしてくれないか」

「おいおい、簡単に言うな。俺が主催元の関連企業に勤めているのを知ってのことか」

内心期待していたくせに、一旦はそう答えるしかなかった。当然ながら社員の参加は認められないし、資金不足とか、他にも色々と個人的な問題がある。だからこそ俺は、これまでこのイベントに非常な興味を引かれつつもエントリをあきらめていたのだ。

「いくら何でも参加は難しいよ——匿名のアドバイザーと後方支援ならやってもいい

が。それじゃ駄目なのか？」

「ぜひ一緒に来てほしい」

俺は腕組みしてしばし考える。十二年ぶりに再会する親友は、何かを企んでいるんだろうか。行方の知れなくなった俺をわざわざ探し当ててまで、頼みに来る理由は何だ。黙り込んでいると丹羽はまるで俺の疑惑を見透かしたかのように、自分から打ち明け話を始めた。

「実を言うと競技に便乗して、僕はあそこから持ち帰りたいものがあるんだ」

丹羽はここでわずかに間を置いた。

「──会長の不正の証拠を記した文書だ」

「遠屋敷一眞の？」

「そう。内容について今詳しく説明はできないが、トライアルに使用される建物内にあることがわかっている。君がルール通りの競技を続けている間に、僕は別行動でそれを取りに行きたい」

俺はまた考え込む。それが本当ならスキャンダルではないか。

「もしかして、自社の経営トップの不祥事がショックだった？」

茶化したように言われて、俺はすぐさま笑い飛ばした。もちろん、そんなわけない。

「いいや。俺はこう見えて不忠義者でね」

考えていたのは、それは一つのきっかけになるな、ということだった。俺が今の会社に嫌でも居続けなければならないある切実な理由を絶ち切って、新しい生活を始めるための。

「彼の不正の内容も、証拠があそこにあるということも、警察も新聞社もライバル企業もまだ知らない。僕だけが知っている事実であり、入手後もその状態を保つ」

真剣な顔に戻って続ける丹羽に、俺は単刀直入に訊ねた。

「その方が金になるってわけか。つまりそれを元に、恐喝でもするのか?」

答えまで、また間が空いた。とても答えにくい質問のようだ。

「――それは言わせないでくれよ。でもまあ、そんなところだ」

つまり、そうなんだな。俺は踏み込んだ質問ついでにもう一つ訊いておく。

「もしも承諾した場合、賞金のうちいくらが俺のものになるんだ?」

「全額でいい」

今度は即答だった。俺の口調から彼は、等分の山分けなどではこっちが納得しなさそうだと踏んだのか。これには俺が驚いた。

「いいのかよ」

「僕へのトロフィーは遠屋敷の弱味、君へのプライズは賞金全額。それでどうかな」

一億の賞金を、丸ごと俺にくれて自分は一銭も要らないというのか。こいつはそんなに裕福だったたっけか。

「悪い話じゃないだろう？」

「それどころか、旨すぎて逆に怪しいぞ」

毒気を抜かれた体の俺に丹羽は畳みかけた。

「まあそう言わないで、即決しなくていいからさ。何なら近いうちに軽く見学に行ってみないか？」

「軽くってお前、現地といや北海道じゃないか」

「そうだよ」

丹羽の奴、片目まで瞑《つぶ》って言ってのけやがった。それが先々週のこと。

4

そういうわけで土日を利用した初秋の現地見学旅行は、特に丹羽にとっては俺にエントリを決意させたという点で、最高の成果を上げることになった。旭川から羽田へ向かう帰りの機上で俺達は、空白の十二年間を少しでも埋めようと、勢い込んでその間の出来事を語り合った。

丹羽の卒業後の進路は優雅なことに米国留学だったはずで、これも俺達が疎遠になった原因の一つだ。彼は向こうの水にどうにも馴染めず、ずっと早く帰りたいと思ってばかりいたと言った。帰国した丹羽は先輩のやっているコンピューターソフトの専門商社を手伝うようになる。その先輩が身体を壊して手を引いた後は、専《もっぱ》ら彼がすべてを取り仕切るようになり、会社を少しずつ大きくするにつれ、乞われて経営権を引き受けるようになった。何のことはない、こいつはこいつで、気を休める暇もなく働き詰めの日々だったのだ。

「その会社も、少し前に人手に渡した」

「人手に？　行き詰まったっていうのか」

丹羽は首を振る。

「その逆だよ。いい条件で買収を申し出てくれる相手があったんで、思い切って整理したんだ」

「何でまた……」

「もちろん、楽しいイベントのためさ」

事もなげに言う。お前にとってこのトライアルは、よほど大きな意味を持つものらしいな。

「そんなわけだから、一生とはいかないまでも十年や二十年は楽に暮せるだけの金はある。事前準備のための資金も潤沢だよ」

そりゃ心強いことで。一億程度のはした金なら、丸ごと俺にくれてやって構わないというのも道理か。

「お前と違って、こっちは一貫して平凡かつ退屈なサラリーマン生活だったよ」

「結婚はしなかったの？」

「してない。俺の所在と一緒に、そういうことも調べたんじゃないのか？」

丹羽は申し訳なさそうに言った。

「まあ、少しはね。でも、必要のないプライベートには極力立ち入らないようにしたつもりだ」

ならば俺も、極力気にしないように心掛けよう。

俺の就職先セキュア・ミレニアムは傘下のいくつかの企業の中でも、特に《ブレイクスルー・トライアル》を中心となって企画し、成功すれば新製品の売上となって直接はね返ってくる会社だ。丹羽の言っていた投資家や大手顧客への内覧会も、実を言

う と俺のいる総務部でコーディネートしたのであり、つまり丹羽が入手した配布資料を処分し損ねた間抜けな担当者とは、俺と同じ部の誰かなのだ。仲間になったこれからはむしろ、俺自身が進んで様々な情報提供をするわけだが。

わからないのは、数多いセキュア・ミレニアム社員の中から、丹羽がどうして俺に白羽の矢を立てたかだ。昔の親友だから、というのは理由の半分にしかならない。曲がりなりにもこの歳まで世の中を渡ってきた身ならいい加減、単に気の合う奴と信頼して仕事を任せられる人間との区別がつくようになっているはずだから。俺はそれも言葉の形で確認しておくことにした。

「俺を選んだのは何故なんだ？　わざわざ行方を探してまで」

「だって門脇、君はあのノートを書いた本人じゃないか」

不意打ちだった。丹羽は俺と同じかそれ以上に、あれを憶えていたのだ。

俺という男は、人が色々と羽目を外しやすい学生時代においてさえ、今とそう変わらない地味で堅実な人間だった、と思う。ナンパだ合コンだと女の子を追いかけ回したり、アルバイトして得た金を片っ端から車やバンドに注ぎ込んだりなどしなかったし、かといって学究の道へ進むつもりも、親から継がされる家業があるわけでもなかった。自活のためのバイトをこなし、単位を落とすなどもってのほか、戦略的かつ真面目に勉強するという、抑制の利いた日々を送っていた。というより、自分の置かれた立場を考えればそうするしかなかったのだ。

社会学部に所属し一般教養や総論の単位を取り終えた大学三年次には、犯罪社会学のゼミナールに入る。ある目的から中堅企業の管理部門に採用されたかったので、研究テーマと卒論はセキュリティ関連にしようと考えたからだ。

ところがゼミの担当教官が学内外に有名な学者だったのが、誤算と言えば誤算だったかも知れない。この床山正義《とこやままさよし》教授というのがマスコミに顔が広く、ネットワーク犯罪やコンピューターウィルスが世を騒がす度にテレビや新聞からコメントを求められる。それ系の一般向け解説書もばんばん出す。名が売れているものだからその下には目先の変わったことをやりたがる学生が大勢集まって来る。まあ俺が今の会社の採用面接を受けられたのは、セキュア・ミレニアムの顧問として様々な助言や提案をしていたこの教授推薦のおかげであり、あながち悪いことばかりでもなかったが。

机を並べたゼミ生皆、野次馬根性が旺盛でヤマっ気たっぷりな奴ばかりだったために、俺の学生生活もそれ以降は地味で堅実一辺倒というわけにはいかなくなった。そんな連中の一人に丹羽史朗がいて、彼と出逢ったことにより、俺の人生で最も陽気で騒がしく落ち着かない日々が幕を開けたのである。

その頃の俺はどこへ行くにも黄色い表紙のスパイラルノートを持ち歩き、暇な休み時間や退屈な授業の間、あるテーマに沿ったアイデアを書き綴るのが常だった。マスコミから教授にお呼びがかかるようなコンピューター犯罪とは別次元の、古くから世間を騒がせ続けてきた犯罪、建造物や私有地への侵入と脱出、そして逃走。俺の興味は専らそちらへ集中した。関連する事件が起きる度に新聞記事やニュースサイトの情報を集めてスクラップし、行為者つまり犯人の立場から見た成功と失敗の原因分析や課題を書き連ねていく。過去実際に起きた犯罪のケーススタディや自分の思いつきのアイデアを折り混ぜて、警備や防犯の隙を衝く方法を検討もした。

別に凝ったことをやっているとは思っていなかったし、どの講義の課題というわけでもなかったので、俺はそのノートを極めてぞんざいに扱っていたところ。ある日ふいに、それが手元にないことに気付く破目になった。どこかへ置き忘れて来たらしいのだ。俺は後で学生課に届け出よう、と思っただけでその時はただ放っておいたが。

俺が文学部で聴講している心理学概論を終えて教室を出た時、戸口では同じゼミの丹羽が待っていた。文学部の女の子じゃなく、この俺を。

「忘れ物を届けに来たよ」

いかにも愉快そうに彼は言った。手には俺の黄色いスパイラルノート。その頃の丹羽は、週に二回のゼミナール以外には俺と重なる履修科目が少なく、他で会うことも珍しいくらいの奴だったのに、その彼がだ。

「お、ありがとう。どこで失くしたんだろうと思ってた」

「ゼミ教室の椅子の下に落ちてたよ。名前が書いてなかったので文字の癖を確認しようとして、教授と一緒に中身を少し検《あらた》めさせてもらった。それで君のだとわかったんだ。ごめん」

「いやいや。別に大したことが書いてあるわけじゃないしな」

俺がそう言うと丹羽は急に勢い込んで身を乗り出した。

「本当にそう思ってるのか?」

「どういう意味だ?」

俺には丹羽が何を言わんとしているのか、さっぱりわからなかった。

「使えるアイデア満載じゃないか」

彼はいいかな、と断って一旦は返してくれた俺のノートを開いた。

「例えばこれ。海運会社の倉庫に泥棒が入ったというスクラップ記事を元に、様々な考察が加えてある。現地倉庫の外観スケッチ。明かり採りの天窓から侵入したという経路に対する疑問。つまり、とても高い天井から内部の床までをどうやって下りたのかと。それに対する君なりの答えはこうだ。倉庫内部に充分な量の荷が積み上げてある場合ならそれを踏み台にして下りることもできる、とね」

「それがどうしたって言うんだ。ありふれた思いつきばかりじゃないか」

自分の書いたものを読み上げられるってのは、どうにも気恥ずかしい。そんなことをされるのは不当に思えた。

「そこから連想を広げて、君はさらに考えを進めている。犯人はこの倉庫の扉が向いている海側で釣人のふりをしながら、日々内部に積まれた荷の量をチェックしていたんじゃないかと。その他にも倉庫の内部に荷があるかどうかを判断するには、冷蔵設備や換気装置の稼動を電力メーターの回る速さから知ることも重要だとしている」

「地味な観察だよ」

丹羽はお構いなしに続ける。

「あるいはオフィスビル入館管理の穴について。お互いに顔を知らない大勢の訪問者の列について行ってちゃっかり許可証をもらう方法や、放置された可燃ゴミの袋から入手した過去の入館カードをもとに、修正液とコピー機を使って未記入の白紙を起こす方法など」

「そういうことばかり考えてる奴は頭がおかしいと思っただろ?」

俺はほとんど吐き捨てるように言ったのに、彼は真剣にかぶりを振る。

「とんでもない、その反対さ。ワンゲル部の奴ら十人前後から採ったアンケートなんてのもあったよね。本学内各棟の外壁を写した写真を並べて、登りやすいと思う順に並べ替えさせたやつ。笑わせてもらったよ、連中が揃いも揃って最も登りやすいと答えたのは――」

俺は丹羽の言葉の後を引き取る。

「屋内プール棟女子更衣室側。アンケートの意図と違う」

二人共笑った。

「まあ何だな、侵入の難易度を決定するのは物理的要因だけじゃないってことだ。そこには当然ながら欲望によるモチベーションが介在する」

丹羽は大きく頷いて言った。

「よかったらもう少し聞かせてよ。昼飯まだだろ?」

それが俺達の親しくなったきっかけだった。

丹羽という男とつるむことにより、俺の学生生活にも広がりが出た。彼はイベント企画のサークルに所属していて、他大学の学生や時には学生以外の若者を集めては何か行っていた。たまに少額の赤字、たまにわずかの利益を出し、ほとんどの場合は収支トントンだった。そして——これが最も重要なのだが——すべての場合にそれを楽しんでいた。

彼は俺を有名女子大との合コンに誘ってくれたり、他にもスキーやテニスといった学生らしい遊びに連れて行ってくれたり、割りのいいバイトを紹介してくれたりした。一度などは欠席者が出たからといって経済団体主催のパーティに呼ばれたこともある。日頃テレビのコマーシャルで目にするような大企業の経営者や、ニュース番組で耳にするような大物政治家と挨拶を交わしている彼を見て、俺はすっかり驚き、戸惑った。

そういえば、別の友人から彼の生家は大した資産家なのだと聞かされたことがある。父方の家がそうで、訳あって彼とその母親とは今は別居しているのだと。だが教えてくれた友人と俺が、その話から何かを感じ取ったにしてもそれだけだった。丹羽がその父親の正妻の子でないのではという想像をしただけで、当然ながら彼自身が言おうとしないことまで聞き出すつもりはなかったからだ。

丹羽自身はというとそんな噂のまったく不似合いな、無邪気で屈託のない奴だった。それに現在の印象とは違い、当時からこんな軽薄そうな男だったわけじゃない。むしろ学生時代はもっと何というか、誠実でナイーヴな好青年に見えたものだ。だから本人の好みとはかけ離れた、地味で夢見勝ちなタイプの女の子とよく一緒にいたと思う。あいつは正直あまり嬉しそうじゃなかったっけ。俺は妙に納得する。そういう意味では今みたいに俗っぽい外見にする方が、派手な女にモテたいという本人の志向には沿っているわけか。

確かあれは大学祭の打ち上げをやった夜だった。丹羽はその同類めいた賑やかな友人達とは離れた場所に俺を連れて行って、早口で言った。

「門脇、頼みがある」

丹羽は頼み事をする時の常で、遠慮がちに、ことさらに真面目な顔をしていた。駄目ならすぐに引き下がるという雰囲気を言外に滲ませて。

「今からちょっとゼミナール棟へ戻らないか?」

「何だよ改まって。俺に告《こく》ろうとでも?」

「バカ。そんなわけあるかって」

彼の頼みというのは俺がいつかノートに書いていたゼミナール棟侵入を試そうということなのだった。いつもの俺ならそんな甘言には耳を貸さないのだが、あいにくその時はかなり飲んでいたし、大学祭の余韻を引きずって騒ぎ足りない気分でもあった。

「いいけど、目当ては何だ？　白紙の出席カード束か、それとも試験問題か？」

我ながら箍《たが》の外れたことを言ったものだ。彼は少し困った顔をした。

「いやいや。僕はただ純粋に、侵入実験がしたいだけなんだ。何も壊さず、もちろん何も盗らず」

俺の酔った頭は丹羽が大した推理小説ファンなのを思い出した。なるほど、純粋なお遊びでね。そりゃそれで結構。

人は皆、このような日常の狭間のふとしたノリと弾みでやってのけてしまう行為の範囲を、決して甘く見積もってはならない。ましてや当時の俺達は悪ふざけの好きなバカな学生で、アイデアマンとコーディネーターとしてお互いの能力に敬意を払い、お気に入りのベスト・パートナーとして、一緒なら何だってできる気がしていた。調子に乗るなと言う方が間違っているのだ。

丹羽に乗せられるまま黄色いノートを手に深夜の大学へ戻り、ゼミナール棟を目指した。その方法とはごくシンプルなもので、まず見回りの警備員の動きを捕捉することから始まる。日頃から観察を繰り返し、例のノートに克明な記録をつけていた俺は、その人数も時刻も巡回ルートもかなり正確に把握している。今からだとすぐ二十二時の回が始まるはずだ。その次の回は二十四時か。

俺は慎重を期して、最初の回をすでに知っている事柄の確認に充てることにした。丹羽を連れてゼミナール棟前の躑躅《つつじ》の植込みに身を隠す。頭上には銀杏《いちょう》の大木。くそっ、この季節は実の腐臭がたまらんよな。二重の意味で息を潜めていると、懐中電灯の光が一定の範囲を行き来して、警備員がすぐ傍を通り過ぎる。こういう時は目を閉じ、衣服のファスナーや腕時計、眼鏡は見えないように隠すものだ。すべて反射光が注意を引かないための用心である。足音が角を曲がってしまってから、俺は袖口から時計を出して時刻を確認した。二十二時七分。以前ノートにつけておいたのとぴったりだ。いいぞ、人数も時刻も巡回ルートも数ヶ月前に調べた時から変更なし。

「この後十二時までは待機だ」

「次の巡回まで待つの？」

「そうだ。今の回は確認だけ、次の回が本番だ」

「一つ提案がある」

「何だよ」

「銀杏の木の下以外で待とう」

それには俺も異論はない。場所替えを済ませると俺はノートの学内マップを広げた。

「いいか、これがさっき通った警備員Aの動線。これが警備員Bので、こっちが警備員Cのだ」

「うん」

「起点かつ終点である詰所、それに途中いくつかのポイントに書き込んである数字は通過時刻だ。これをじっくり眺めると判ることがある」

「うん、うん」

丹羽は嬉しそうに次を急《せ》かした。ノートのこのページはもうすでに一度、学食でカレーを食いながら説明してやったところなのだ。

「警備員Aはゼミナール棟を見回った後で研究棟へ向かう。そのルートは一部で警備員Bが担当するルートと交差している。Aは、Bが図書館を見回ってから学生課棟へ向かうため直後にそこを通過することを見越して、巡回の間は図書館－ゼミナール棟－学生課棟を結ぶ連絡通路の鍵を閉めないでおくのが常だ」

「警備員Aがゼミナール棟を後にしてから、警備員Bがやって来るまでの時間はどのくらい？」

「約一分半から二分」

「その間、警備員Cはどこに？」

「はるか彼方の第二グラウンドから職員駐車場にかけてを巡回中だ」

俺と丹羽は顔を見合わせてニヤリとした。至極単純な話だ。失敗する気がしない。

熱い缶コーヒーを調達して、俺達は続く二時間をゼミナール棟を見上げる裏庭の木犀《もくせい》の木の傍らで潰した。こっちの方がずっと居心地が良い。いよいよ二十四時だ。

やがて警備員Aの足音と懐中電灯の光がゼミナール棟に入って行った。窓から漏れる懐中電灯の光は、最初に一番上の四階まで上って端から端までゆっくりと移動する。非常階段の扉が開いてすぐ閉じた。次に三階に下りて同じことを繰り返している。

「行くぞ、いいか」

光が一階の端まで動いたのを見て取った俺はタイミングを計る。後方を凝視していた丹羽が応じた。

「後ろ、よし」

連絡通路へのステップを二人して駆け上がる。昼間は開け放してある昇降口の扉は今は閉じている。しかし施錠はされておらず、押せば開くはずなのだ。オープン・セサミ！——果たせるかな——扉は音もなく開いた。

「やった」

俺の後から丹羽が滑り込んで扉を閉めた直後、隙間から懐中電灯の光が差し込んだ。

警備員Bが図書館の影から現れたのだろう。

「ふー、ギリギリだったな」

俺は口の前に人差し指を立て無言で頷く。そのまま指を動かして、階段下の暗がりを差した。今から二階へ駆け上がるのは、この時間差では危険だろう。物音で警備員Bに気付かれてしまうかも知れないからだ。そう考えて俺は階段下に身を潜めて警備員Bをやり過ごす方を選んだ。それはそれで発見される危険がないわけじゃないが、彼は自分の担当外で、しかも他の警備員が見回った直後のゼミナール棟を、それほど熱心にチェックするはずもないだろうと踏んだのだ。

やがて入って来た警備員Bは、自分が通過した扉に施錠しなかった。おっと、これは今日初めての発見だぞ。こいつが閉めないということは——俺は考える——この扉は研究棟を見回って帰って来た警備員Aが閉めるわけか。この事実はひょっとしたら警備員Bが自分用の鍵束を持たされていないということをも示しているのかも知れない。警備員Cは外回り中心のコースだから、すると、どういうことになる？　彼らはたった一組の鍵束を使い回しているのではないか。

俺は今すぐにでも警備員詰所へ走り、待機中の警備員Dと世間話の口実を見つけて鍵束のラックを見たい衝動に襲われた。鍵束の数を押さえておくことは、別の場合に役に立つだろうから。しかし俺はそうしなかった。またしても目を閉じ、光る物を覆い隠し、息を殺して身動きもせずに、潜んでいる自分達の傍を足音と光が通り過ぎて、外へ出て行くのを待ったのだ。

俺が予想した通りだ。警備員Bはただ通り過ぎるだけで、暗がりを覗き込もうともしなかった。

「――行っちゃったね」

「ああ。もう小声ならしゃべってもいいぞ」

丹羽と二人足音を忍ばせて階段を上りながら、俺はまだ考えていた。明日夜、同じ時刻に。何とか口実を見つけて警備員詰所へ鍵束の数を確認しに行こう。

「門脇、ちょっと待って」

「早く来いよ」

俺達の所属する床山ゼミが使用する教室は三階の階段脇すぐにある。はしゃいだ子供の気分で俺は、そこへ早く辿り着く競争に勝とうと一段抜きで上り切った。で、次の瞬間、心臓が口から飛び出そうなくらい驚くことになる。突如出て来た人影と衝突しそうになったからだ。

「っ……！」

叫び声を上げるのだけは辛《かろ》うじて耐えた。

「やあ、門脇君、丹羽君。お見事」

光る額とメタルフレームの眼鏡を闇に浮かび上がらせて、黒幕よろしく登場したのは床山教授だった。満足そうにニコニコしている。

「君達、折角だからレポート書いてね。楽しみにしてるよ」

「門脇ごめん！　今夜君に侵入実験をやらせようというのは教授の発案だったんだ」

追い付くなり丹羽は下げた頭の前で両手を合わせ、申し訳なさ全開で説明する。いいけどな、別に。道理で今夜は、自分が飲めない酒をやけに俺にばかり勧めると思った。上手く乗せやがったわけだ。

「これを機に、君達には色々と実験をやってもらいたいね。そうすれば二人共に、単位のみならず優秀な成績評価を約束しよう」

もちろん俺は二つ返事で承諾した。それからというもの、丹羽と同様俺のノートを大いに面白がった床山教授の指導で、俺達は企業犯罪とセキュリティをテーマに数々の侵入実験を行うことになったのだった。そのいくつかは教授によって学会誌に報告されたし、俺もそれを元に卒論を書いた。

この黄色いスパイラルノートの話にはまだおまけがある。機会があって読ませた丹羽以外の友人達も皆、目を輝かせて面白がった。だからといってアイデアを片っ端から実行して、非合法に稼ぎまくるというわけにもいかない。これを合法的に生かせるのは、小説家か脚本家ででもないと無理だと思っていたところ。

ノートと書かれたアイデアは、驚いたことにその線で金になった。丹羽の紹介でテレビ局に就職した先輩が買い取ってくれたのだ。放送作家に書かせる元ネタにするという。学術利用以外のすべての権利を放棄させられ、当時の俺にしてみれば大金の、数十万を受け取った。ありがたかった。俺はその金でバイト漬けの生活からしばらく脱し、卒論と就職活動に集中できたからだ。ただし番組に関しちゃそれっきりで、以来何の音沙汰もない。ドラマかバラエティか、知らない所で何らかのテレビ番組になっていたのかも知れないけれど、俺がそれを目にすることはついになかったのだ。

そして今。

俺は久し振りに再会した友人に誘われ、懐かしさに任せて、将来を左右するかも知れないイベントへの参加を決めてしまった。あの大学祭の晩と同じくらい無鉄砲なことに手を出そうとしている。あの時と同じくらい面白半分に。

「何ぼんやりしてる?」

　隣の丹羽の声で我に返る。思い出に浸っていたなんて口にできるはずもない。

「言いたかないが、お前のその髪型や眼鏡を見てるとおばさん連中に人気の韓国俳優を思い出す。狙ってるのか?」

　すると丹羽はひどく嫌そうな顔をした。

「うう、勘弁してくれ。僕はあんなに骨太じゃないのに」

　まあ、そうだけどな。そして御丁寧にも反撃を試みる。

「君こそ、ワイヤー・アクションを多用する香港の新進ギャグ映画監督兼俳優みたいじゃないか」

　俺はわざとわからない振りをすることで、奴に呆れ顔をさせることに成功した。

「誰だそりゃ?　ジャッキー・チェンか?」

「んなわけないでしょ!」

　恐れ入ったか。もちろん、俺は誰にも似ていない。愉快な気分で窓の外、まだ夏の終わりの空気に包まれた華やかな東京の灯を見下ろしていると、機内アナウンスの涼しげな声が、間近に迫った羽田への着陸時刻を告げ始めた。

5

T字型の握りに銀の装飾が施された杖はケーンとかいう洒落たタイプだ。仕立ての良さそうなグレーの三つ揃い、室内に入ると同時にひょいと持ち上げた中折帽の下から現われた上品な銀髪。その老人は、古い映画に登場する紳士の出で立ちだった。

もう一人はよく通る声で話す、大柄で押し出しの強い四十男。着古したコーデュロイのジャケットの下はコットンシャツにノーネクタイ、それに皺の寄ったチノパンツ。全身至る所から、それこそ埃っぽい靴からさえも、精力的な仕事振りが窺える。

二人は口々に何かを言い合いながら、エレベーターでなく階段を上って来た。

「ほうら、私の勝ちだよ」

「いやあ本当だ。これで先生には十二勝十四敗ですね」

賑やかなことだ。俺は何だか気圧されてしまい呆然と見ているだけだったが、丹羽は果敢にも問いかけた。

「……どうかなさいましたか?」

「いや失敬、ここの階段の段数が偶数か奇数かでちょっと賭けをね」

「先生と私の間で流行《はや》っている、ほんの他愛ない遊びなんですよ」

答えながら二人は辺りを見回し、少なからず驚いたようだった。ここは丹羽が退職後に借りている事務所である。こぢんまりしてはいても都心の一等地、新築オフィスビルの二階にあり、雑用と電話番とコーヒーを出してくれるために学生アルバイトの女の子まで置いている。この御時世、そんなものレンタル・オフィスと自動販売機で充分だと俺は思うのだが。

その来訪者も驚いているのは、この事務所内に観葉植物があまりにも過剰に置かれていることだった。俺だって初めて来た時は驚いた。何しろベンジャミンが二鉢、パキラが四鉢、名前を知らないのが四鉢、ヒメヤシとアジアンタムに至っては六鉢も、床だろうがテーブルだろうが所狭しと並べられているのだ。室内はもはやジャングルの様相を呈しており、バイトの女の子はヒメヤシの葉をかき分けてコーヒーを運んで来る。どうしてこんなに？　さっき俺が訊ねたところ、丹羽が言うには。

「バイトの子も僕も、お互いに手配済みなのを知らずにそれぞれ発注したんだ。加えてキャンペーン期間中だったからベンジャミンはおまけ、しかもレンタルのサイクルが微妙にずれていて、ここ数日は業者の搬入から引取りまでの期間が重なってる」

なるほどね。聞いてみれば何のことはない。

しかし果敢さの足りないこの客達はあえて問おうとはせず、二人にとって謎はいつまでも謎のままだった。ただ毒気を抜かれたような顔をするばかりである。

「どうかなさいましたか」

老人は咳払いをして居住まいを正し、名刺を差し出す。大柄な男もそれにならった。

「我々はセキュア・ミレニアム社から広報上と法律上の問題を委託されている者です。参加者と主催者の間に立って、窓口的な役割を果たすことも言いつかっております」

《框《かまち》法律事務所代表　弁護士　框清十郎《せいじゅうろう》》。老人の名刺は真っ白な厚手で、事務所の住所は内幸町《うちさいわいちょう》だった。

《東日新聞東京支社　社会部　鴨居《かもい》郡司《ぐんじ》》。男の方はクリーム色の再生紙で、新聞社のロゴがカラー印刷されている。

これに対して丹羽は先頃までの自社の代表取締役の名刺を、俺は勤務先の総務部主任の名刺を取り出して渡した。ちぇっ、どうでもいいけど差をつけてくれるよな。

「どうも初めまして。すでに電話等でも申し上げましたが、框先生はこの度の企画に際し、判定委員もお務めになります。私はその補佐として、また事務局代表として雑務を担当させて頂きます」

鴨居の自己紹介と名刺の肩書きに、俺は少なからず違和感を抱いた。

「失礼ですが、記者でいらっしゃるので？」

彼は決して爽やかでない笑みを浮かべて答える。

「まあ所属はそうなのですが——ちょっとした私事が原因で本来の業務を離れ、しばらく研修中の身でしてね」

俺は今の台詞《せりふ》における研修は謹慎と同義なのだと理解した。この男、何やら不祥事でも起こして雑用を押し付けられているところらしい。

「ああ、それじゃ鴨居君、説明を」

「はい」

新聞記者はA４版の書類がたっぷり入った茶封筒二通を取り出し、中身を抜き取ってそれぞれ俺と丹羽の方に差し出した。一番上に重ねられたコピーの表紙中央には《第一回　ブレイクスルー・トライアル　参加要綱》とあり、下部には《主催　セキュア・ミレニアム株式会社》《協賛　東日新聞社・帝都警備保障・白陽電機株式会社》と書かれていた。書類束は地図や図面、機器の写真などの図版を含んでおり、他に資料登録先ウェブページのアドレスなど。一番後ろは《ブレイクスルー・トライアルルールブック》と題したA５サイズの小冊子だった。

「まずはお二人共、見事に審査通過おめでとうございます。これは前置きになりますが、ニューヨーク・タイムズ・デジタル社ＣＥＯと、とあるブログ運営者が行おうとしている、有名な賭けを御存知で？」

俺は頷きながらうんざりした。丹羽とこの男、二人の前口上が同じなのは、単にどっちかがどっちかの受け売りだというだけか？　それとも、何か理由があることなのか？　俺が疑惑の眼差しを向けると、丹羽は小さく首を横に振っていた。偶然ねえ。まあいい、とりあえず信じておいてやる。

「──今述べたのはＩＴ産業界における進歩を象徴的に表すエピソードに他なりません。片やこのイベントも、そのような試みに勝るとも劣らない、技術的に意義深い企画になるとお考えください。概略はウェブ公募ページや参加希望者に送付した募集要項ですでに御存知と思いますが、それを含め改めて御説明します。途中で確認したいことがあれば、その都度遠慮なくお訊ねください」

そう前置きして鴨居は、すでに聞かされていた事柄に加え、詳細の取り決めを述べ始めた。審査通過者はすべてこの弁護士と新聞記者コンビの立会人に訪問され、ルールブックを渡されて、法律上の制限事項や広報上どのように取り扱われるかなどの細かい説明を受け、合意した上で誓約書に署名する。それが参加の正式な意思表示となる運びだ。

彼の説明によれば応募総数が三十八組。事前審査を通過したのはそのうち十二組。

「トライアルは一度に三組ずつ、四回に分けて行われます。実施日は十月末にこちらが指定する別々の四日間。場所は北海道上川郡美瑛《びえい》町、五キロメートル四方の私有地に囲まれたセキュア・ミレニアム研究所上川実験場」

呼称は厳めしいが、要するに俺達が見に行ったあの立方体の建物だ。資料の地図の範囲は、建物を中心とする私有地の全体に渡っていた。

「警備会社や管理人などの関係者に対して、このトライアルの詳細情報は与えられていません。期日を特定せずにそのような競技が行われる事実だけは通告していますから彼らも心構えはありますが、競技に備えて訓練を行ったり、特別な態勢を敷いたりすることは禁止しています」

主催者側の目的の一つに警備システム側の実効性テストということがあるのだから、これは当然と言える。

「当日は付近住民など第三者巻き込み防止のために、通常は監視されていない私有地の境界線上で外部からの立入を禁止、制限するためだけに警備員を配備します。ただしこれは異なる警備会社の要員によって行われ、研究所の警備関係者とは連携しません。当然ながら参加者もこれについては突破する必要がありません」

この別会社の警備員は同時に、野次馬やマスコミ等も遠ざけてくれるそうだ。

「スタートは参加者がそれぞれ決められた日の任意の時刻に、どこでも敷地の境界線内に一歩踏み込んだ時点からということになります。そこからカウントし始め、制限時間は十二時間以内。その間に建物内に侵入し、決められたマーカーを入手して建物を脱出し、境界線を越えて持ち帰ることでゴールと見なします。周辺の地形、マーカーの形状については資料を御覧ください」

資料の一枚目は敷地の境界線を記した二万五千分の一地形図、二枚目以降は縮尺の異なるそれであった。研究所を含む敷地は大まかにいうとワンブロックが約五キロメートルの四角形をしていた。北西には林があり、東と西には道路が通っている。北海道中部のこの辺りというのはそんなものなのか、他には何も描かれていなかった。

一番後ろの資料には折畳式でない携帯電話から数字キーを廃したような機器の写真が載っていて、これがマーカーであるらしい。すべての参加者は建物に侵入したら四階を目指し、所定の部屋に設置されているマーカーを奪取する。それを持ったまま私有地の外へ脱出するというのが参加者に課せられたミッションであった。

「マーカーは参加チームそれぞれに専用の一個ずつが用意されますが、保管されている部屋とその状態は全チーム同じです」

「すると、複数台が同じ室内にずらりと並んでいるわけですね？　自分達のマーカーが先着の他チームの誤認や妨害により持ち帰られてしまう恐れはないのですか？」

これは丹羽の問いだった。つまり最初に辿り着いた奴が後の奴らのマーカーを持ち去ってしまうんじゃないかと言いたいのだ。我が相棒ながらいい質問だ。少なくとも俺だったらそうする。

だが鴨居は用意されていたらしい答えを淡々と述べた。

「それを防止する策は講じられています。マーカーには予《あらかじ》め参加チームそれぞれ固有の指紋を登録してありますから、セットしてある台から取り上げる前に、指紋認証をパスしてください」

鴨居は《前に》を強めて発音した。

「もしもその手続きを踏まずに取り上げると、いささか穏便でない形での参加終了となります」

「と言うと？」

俺と丹羽は固唾《かたず》を呑んで続きを待つ。

「まずマーカーから発信された信号を受けて催眠ガスが噴射され、その場にいる全員に即座に意識を失って頂きます。ここで眠らされたメンバーは失格となり、お目覚めになるのは数時間後、救護センター内にある各チーム別々の部屋に移されてからというわけ。その後は残ったメンバーでトライアルを継続することになります」

「催眠ガス？　合法なんですか」

「開発中の新薬です。参加者の皆さんには、この新薬のテストに参加するという契約にも、別途署名頂きます」

気の進まない契約だ。

「そういうことですか。認証をパスしない者が他チーム用のマーカーを取ろうとすれば、即ゲーム・オーバーなんですね」

「はい。不運にもその場に居合わせただけであっても、また自チーム用のマーカーであっても、認証をパスしないまま取ろうとされれば即、ゲーム・オーバーです」

これは容赦がない。しかもあながち起こり得ない事態でもなさそうだ。

「マーカーに関して、他に禁止事項は？」

これは俺。どんなことをすると失格なのか、もっと詳しく知っておきたかった。

「マーカーを破壊することや、紛失すること。これはマーカーから発信されている微弱電波が何らかの理由で主催者側に傍受できなくなることや、参加者が帰還後直《ただ》ちにマーカーを提出しないことで定義されます」

俺はさらに穏便でないことを思いつき、言葉にした。

「それならば、帰路はいささか危険ですね。入手済のチーム同士でマーカーの潰し合い、奪い合いが起こらないとも限らない」

「残念ながら否定はできませんね。それを防止する策は講じられていません。なぜなら帰路においては、マーカー入手済のチームに対する警備側の行動の余地を残しておく必要があるからです」

つまり一旦入手したマーカーは、警備側や他チームをかわしながら持ち帰らなければならないことを示していた。場合によっては相当荒っぽいことになりそうだ。

「同時にトライする他のチームについて、情報はもらえないんですか？」

これも俺。別にやる気満々と思われたいわけじゃないが、参加者同士鉢合わせする可能性も充分あるのなら、他のチームのパワーや装備についても知りたくなる。

「主催者側からはまったくお教えできません。ただ独自調査は自由です。同じく建物やその周辺についての現地調査も自由。本日お渡しした資料は部分的な情報しか含まず、参加者にこれ以外の情報収集を禁じるものではないとお考えください」

相手チームに関しての心配は後回しにせざるを得ない。ここで丹羽が質問の傾向を変え、やや一般的なことを訊ねた。

「募集要綱や広報によると、ライバル企業からのエントリも拒まないとのことでしたが、主催企業は新技術に関する秘密漏洩や、突破された際の信用失墜を恐れないのですか？」

鴨居は肯定とも否定ともつかない頷き方をした。

「その質問の答えは門脇さんの方がお詳しいでしょう」

話を振られた俺はセキュア・ミレニアム社の総務部門担当者として、丹羽に説明してやることにする。

「そこはだな。技術情報漏洩のリスクとフェアな社風アピールのメリットを秤《はかり》にかけた結果なんだそうだ。つまり、後者の方がより大切であるという」

「そんなものか？」

「そんなものだ。加えてネクスト・ミレニアム・グループは現在、喉から手が出るほどどこの分野を強化したがっているという状況がある。仮に他社の研究者チームが見事関門を突破したとしよう。当然ながらミレニアムとしては赤っ恥をかくわけだが、経営陣はすかさずその研究者チームの引き抜きに動くか、ひいては会社丸ごとの買収すら検討するだろう。実際そのための予算も組んである。この辺り、攻撃的な経営方針がよく現れてるだろ？」

「大したもんだね」

丹羽が納得したようなのを見て、鴨居が続ける。

「競技の進行は随時、防犯用とは別に設置されたモニター用カメラによって記録されます。参加者から見分けやすいよう、本体に青色のテープを貼って《モニター用》と書いてあります。それを除けば競技中に渡る一切の記録や取材はなし」

「記事にされるのもすべて競技が終わった後、なのですね？」

この質問も丹羽から出た。

「ええ。ことが済むまでは一切しませんよ」

「そう願います、事前に報道されてはやりにくくてかなわない」

俺はつい勘ぐってしまう。丹羽がそんなことを気にするのは、例の不正の証拠を得るために、何か不穏当な行為に出ようとしているんじゃないか。俺の心配をよそに、丹羽はさらに訊ねた。

「それはそうと当然、不法侵入で訴えられたりしないようにはなってるんですよね？」

これまで黙ってコーヒーを啜《すす》っていた框が、アジアンタムの横にソーサーを置いて口を開いた。

「新聞社立ち会いの下、参加者の建屋への当然予想される破壊行為や侵入行為に対しては、主催者側からの起訴は行わないこと、および善意に基づいた充分な法的フォローをお約束します。しかし競技と直接関係のない破壊行為や相手チームへの暴力はその限りではありませんので御注意のほど。またこのトライアルを行う旨は近隣住民、自治体、警察に、あえて事前には届け出しませんのでそのつもりで」

「警察にも？」

回答者は再び鴨居に戻った。

「そうです。万が一警察の出動があり参加者が逮捕されそうになっても、その時点で主催者からの釈明はまだ行われません。公務執行を妨げないためです」

框は頷いて言い添える。

「逮捕後において初めて、あなた方の罪を軽減して差し上げられる動きを取れるでしょう。ですから警察の介入自体を免れたいなら、まずは破壊行為を侵入に最低限必要な範囲に留めるよう、充分注意されることをお勧めします」

いやな言い方をするなあ。充分な法的フォローを約束してくれるのではなかったか――俺は思い直す――でもまあ、それはそうなんだろうな。侵入者に対する警察の初動も彼らの欲しいデータの一つであり、以後のノウハウに組み込むのだろうから。しかしそれならば俺達の採れる手段や装備はプロの犯罪者並というわけには到底いかず、限りなくアマチュアに近くなってしまうわけだが。そろそろ実行の算段を考え始めた俺に、老弁護士が穏やかに訊ねた。

「ところで門脇さん、退職の手続きはお済みですか？」

丹羽がはっとした様子で俺を見る。それには気付かないふりで答えることにした。

「本当の理由は伏せ、当たり障りのない事情による退職願を用意して上司に話し、エントリ前の日付で受理されることになりました。ここ当分は有給休暇を消化中です」

俺はできるだけさりげなく言ったつもりだったが。丹羽の非難がましい視線は張り付いたままだ。無理もないか、まだこいつには話していなかった。

「門脇、辞表って……」

「いやいや、驚くには当たらないだろう。公正取引委員会に申し開きができるようにだ。やるからには俺は絶対に一億を自分の懐に納めるつもりだからな。サラリーマン生活なんか喜んで捨ててやるとも」

痩せ我慢などでなく本心から——だがちょっと引きつりながら——俺は不敵に笑えていたと思う。そんな複雑な表情を、パキラの枝の向こうから丹羽が心配そうに窺っていた。

説明と質問が一段落すると、最後に框が俺達に訊ねる。

「さて、あなた方は遠屋敷会長にお会いになりたいですか？」

俺と丹羽はほとんど同時に言った。

「何のために？」

「そうですか。他のチームには会いたいとおっしゃる方もいらしたのでね」

弁護士は澄ましたものだった。

「結構。お好きになさるといい」

新聞記者はニヤニヤしていた。

「くれぐれも真剣勝負で頼みますよ。中途半端なところで投げ出されては興醒めだ」

そうだろうとも。この男の立場にしてみれば、どっちに転んでも面白い見世物だ。どうせなら派手にやって欲しいに違いない。

「それでは」

使い込んだ革の鞄から框は別の封筒を取り出す。資料が入っていたのと同じA４版だが、今度のはとても薄かった。その中の契約書や誓約書に俺達は、弁護士から差し出された年代物の万年筆を使って順に署名した。

6

ここを出て最初にすれ違う人間の性別に賭けながら弁護士と新聞記者が帰ってしまうと、オフィスはまた元のような居心地のいいジャングルに戻った。左右対称にベンジャミンの鉢植えを配した両袖机でデスクトップパソコンを操る丹羽と差し向かいに、俺は奴のノートパソコンを借りて広げている。渡された参加要綱と資料を吟味して、作戦会議というわけだ。

「建物の詳細を知りたいな」

俺は渡された資料の中から何枚もある図面をより分けた。建築図面からの抜粋と思われる建物全体の三面図に加え、各フロアの平面図が用意されている。最初見た時の建物の印象は立方体だったが、図面によるとそれは多少の思い込みを含んでおり、実際はやや平板だ。ほぼ東西南北に沿って建つこの建物外壁の一辺は三十メートル程度、対して地上部分の高さは五階建てで二十メートル余りしかなかった。もっとも、地下の二階分を合わせればまた立方体に近付くかも知れない。

南側に設けられたエントランスホールは三階までの吹き抜けになっていて、受付用に造りつけたカウンターブースがある。この吹き抜け部分の外壁はトラスに組まれた梁と柱を強化ガラスで覆ってあり、構造体であると共に意匠にも生かされていた。

多少なりとも外観に変化のあるのはその南側くらいで、東西の外壁は実に素気ない。意匠らしきものは各フロアの境を示す位置にわずかな庇《ひさし》のような出っ張りが走っているだけで、開口部は東側外壁に取り付けられた外部非常階段へのドアのみ。西側には開口部すらなく、壁は焦茶色の濃淡を規則正しく繰り返す五層の縞模様である。俺が現地で眺めてチョコレートケーキみたいだと思ったのはこの西面だった。

建物奥にあたる北側もまた無愛想で、内部階段が螺旋《らせん》状に突き抜ける他は、一階中央の通用口と、その脇から地下倉庫へ通じる荷揚用スロープの出入口があるのみだ。数個ずつ等間隔で並び外からはまるで銃眼のように見える明かり採りの小さな窓だけが、わずかな開口部となっていた。

「エレベーターや電源ケーブル、給排水設備は建物の中心近くを通ってるな。配線にアクセスできそうなのは管理人室の奥と各階喫煙室の奥」

建物中心にこれらの基幹設備を集めて通す設計自体は、とてもオーソドックスだ。都心のビルは軒並みこういった工法で作られている。主要な構造部分を内部に集めた結果、強度が必要でなくなった外壁にはガラスのカーテンウォールを張り巡らす。その理由は窓を多くして居住空間の採光を良くした方が、オフィスビルとしての賃料をより高く設定できるからである。

翻《ひるがえ》ってこの建物はまったく違っていた。基幹設備が中央部分を通っているところまでは同じだが、一階から三階でいうとエントランスホールを除く部分、四階以上でいうと大研究室を除く部分、つまり建物北側の四隅に、最も太い構造柱が配置されているのだ。さらにこの四本の柱を繋ぐ位置にもずらりと柱を並べ、それをさらに分厚い壁で覆ってあるため窓がない。何というか、構造材オンパレードだ。

つまり南側エントランスホールとその上層階に比べて、北側部分は異様に重厚かつ開口部が少なすぎるのだった。そこには企業の自社ビル、それも研究所という地味な用途のため採光や外観に気を遣う必要がなかったという消極的な理由よりは、何らかの積極的な意図がありそうに思われた。想像するにこれは外部との行き来を限定し、機密性を高めたいという思いの表れか。しかしそれなら開放的な南側とのアンバランスは何なんだ？

いきおい俺達の侵入と脱出の経路も、エントランスの他には通用口と荷揚口、外部非常階段、屋上くらいしか選択肢がないことになる。ふうん、ここらが社内の事情通から要塞と呼ばれている所以《ゆえん》なんだろうな——感心している俺に丹羽の声が飛ぶ。

「四階のさ、四〇五研究室というのがマーカーのある部屋だよね」

彼は図面上でマーカーの位置を示す星印を指差していた。

エレベーターの位置が中央部なものだから、どのフロアにもその前を通って建物を南北に貫く廊下がある。一階はそれが南側エントランスホールから通用口へと抜けていて、両側から挟むように東に管理人室、北西に荷掃口と警備員詰所がある。

二階と三階には、吹き抜けを囲む回廊が建物南端を巡っていた。北端は出入口がない代わりに嵌め殺し窓の並んだ通路が東西へ伸び、さらに外壁に沿って南側の回廊へと繋がる。つまり二階と三階は廊下と回廊が漢字の円の字のような形に配置されているのだった。二階と三階の研究室はみな小さく仕切られた部屋ばかりだが、四階は吹き抜けの上に位置するスペース全体が一つの大研究室になっており、これが四〇五研究室である。マーカーを示す星印は、その部屋の戸口すぐのところに書かれている。

俺は似たような正方形の並ぶ各階平面図に異色の一枚が混ざっていることに気付く。五階だ。このフロアについてはなぜか外壁しか描かれておらず、すべてが白紙なのだ。

「五階に関する情報はなしか。競技に関係ないからかな」

軽く呟いた俺の言葉に、相棒は鋭く切り返した。

「ここに不正の証拠があるからだよ。調べはついてる」

ふと思った、その話について丹羽は、俺にどの程度聞かせてくれるつもりなんだろうか。すべて明かさなければ協力しないなどと言うつもりはない。ことによると賞金の全額を俺にくれるという行為には、彼の気前の良さだけでなく俺への口止め料という意味も含まれていると考えるべきなのかも知れないし。人生には洗いざらい聞いてしまわない方がいい話だってあるのだ。たぶん、お互いに。

案の定というか、偶然なのか、丹羽は五階の話をそれ以上続けなかった。今度は地下の平面図を指差したのだ。

「それよりさ、こっちはどう思う？」

地下一階は北側部分全体を占める《倉庫》と書かれた広い部屋だけである。さらに地下二階ときたら五階と同様何の情報も与えられていない。広大な空白部分には、デスクライトの自然色光と名も知らぬ濃緑色の葉が、繊細な模様を作っていた。

「ここも空白が随分あるじゃない。地下にも下りるなということなのかな」

「どうかな。五階と違って、こっちは下りて行く必要が生じるかも知れないぞ」

実際に行くかどうかはともかく、動き回れる範囲や逃走経路の自由度を高めておいた方がいい。その意味では情報があるに越したことはない。地下二階はともかく、地下一階からは荷を出し入れするためのスロープが外部に通じているのだ。

「そう思うなら門脇、会社が契約してる施工業者を教えてよ」

「業者を買収するつもりか」

「まあね」

丹羽は涼しい顔をして眼鏡のブリッジを押し上げた。

「業者はわかってるが、系列だからな。隠す意志のあることに関しちゃさすがに箝口《かんこう》令も堅いんじゃないか」

「じゃあダメもとってことで一応ね。それよりいっそ、あいつを買収しようか？」

「あいつって？」

「事務局の新聞記者。なんか社内で干されてるみたいだったし」

「やめとけ、ガセを摑まされるぞ」

「うーん、そうだな。鴨居だけにカモにされるかな」

丹羽は自分の言ったことのくだらなさに脱力したように、椅子の背に身体を預けて両手を頭の後ろで組んだ。右手が触れたヒメヤシの葉が揺れる。俺は少し考える。

「――こういうのはどうだ」

「どういうの？」

「マップは作りながら進む」

「ええ？　どういうこと」

丹羽は身を起こした。

「そういう芸当のできる技術屋と装備を紹介する。やや値は張るが、いいか？」

「もちろん」

それでこの話題はひとまず切り上げたが、俺は地下二階に何があるのかについてさらに想像をたくましくしていた。これも通常のオフィスビルならば、地下街に通じていたり駐車場だったりするところだ。しかしあの荒涼たる大地にぽつんと建つ一軒家、地下街なんてあるはずもないし、駐車場は外部に設けられている。とすると、巨大な研究室か、隠し倉庫でも？　俺は会社での噂やメンテナンス業者との会話の記憶を探ったが、思い当たる事柄は浮かばなかった。

その他には内部階段と外部非常階段、エアコンとそこから伸びるダクト、屋上への出口、モニターカメラの設置場所などをざっと確認しておく。

「あ、そうそう。現地で君に訊かれた警備員について調べておいたよ」

丹羽は渡された資料とは別のファイルを取り出した。現地へ行った晩、ペンライトの光で読んでいたやつだ。

「建物内に警備員は常駐してないし、外部から呼集されることもまずない。理由は二つあって、徹底した独立運用という警備システムの設計方針を尊重しているからと、管理人がそういう気質だからだ。でもかわりに、犬は常にいる。訓練された番犬多数に加え、管理人の飼い犬も一匹」

丹羽は笑いながら続けた。

「管理人は草壁修造《くさかべしゅうぞう》、五十九歳——もしかして君知ってる？」

知ってる。俺も何度か電話で話したことのある、名物管理人だ。これがまた仕事振りからライフスタイルまで、煮ても焼いても食えない頑固な爺さんなのだ。俺がそう言うと丹羽は面白がった。

「へえ。君も参考にすれば？」

「俺が？　あんな風に意固地になるってか」

「性格もさることながら、将来セキュリティに関するコンサルタントでも開業すればいいんじゃないか。今の話を聞いて妙に君と重なった。煮ても焼いても食えないってところも含めて」

奴は眼鏡の奥の目を細めて笑った。

「何でも遠屋敷会長とは郷里の小学校の同窓で、全幅の信頼を置かれている。警察官時代の経験もある。その管理人が、警備員は必要と判断するまで呼ばない主義らしい。

ちなみに過去において必要と判断した事例はゼロ」

わかる。自分という者がいながら他に助けが必要になる事態を大変な不名誉と考え、頑として認めない爺さんなんだろう。

「警備員が常駐してないのはつまりシステムが充実してるからであって、侵入しようとする者にとっては良し悪しなんだけど、ぎりぎりまで人の手を借りないという管理人の性格は好材料かもね」

「しかしお前、そんなことどうやって調べたんだ？」

「あそこの契約先会社で警備員をやっていたという人間を見つけて訊いた。しかるべき謝礼と引き換えに」

なるほどね。独自調査は自由、我がチームの資金は潤沢というわけか。結構なことだ。俺は納得して話題を変えることにした。

「さっきマーカーの争奪について訊ねていたな。妨害する心積もりでもあるのか？」

下の方に紛れ込んでいたマーカーの取扱説明書を引っ張り出す。やはり外観は携帯電話そのものだ。既存商品の筐体《きょうたい》を流用したらしく、下端に指先でなぞる指紋認証センサーのスリットが設けられている、俺も見憶えのある機種のものだった。ただ数字キーの大部分を潰して嵌め殺しのパネルを被せ、操作できるのは電源と入力確定ボタンだけにしてある。中のメモリには健康診断の時に採取された俺と丹羽の指紋データが予め登録されていて、照合されるというわけだ。

「妨害ねえ。取り得るオプションの一つとしては考えないでもなかったよ」

やっぱりな。俺は丹羽の思惑も同じだったのだろうと踏んで、勝手に後を続けた。

「しかしマーカーそれぞれに指紋認証をかませてあるんじゃ手も足も出ない。失格を賭してわざわざやるかってこともある」

「そうそう。だからたぶん、僕らが行った時点に残っているマーカーの数で、他チームがすでに奪取に成功したかどうかがわかるよ」

「そういうことだな。そして設置してある状態で認証を破ってまで他チームのマーカーを奪うのは難しいが、一旦該当チームが認証パスして持っているマーカーを奪う、もしくは壊すのはたやすいぞ」

いきなり丹羽がニヤリとした。

「だよねえ。僕もそれを考えていた」

だろうな。俺もニヤリとした。

「で、マーカーの指紋認証及びその他入室管理全般に使われているバイオメトリクス認証についてだが――」

のものばかりであるのを見てとった。


「待ってました」

丹羽はデスク左袖の引き出しを開けてまた別のファイルを探す。身を乗り出した彼は机上に、セキュア・ミレニアムの関連商品やサービスの各種パンフレットをずらりと並べた。独自に集めたのだろう、俺はそれが主に指紋認証を中心とした、既存製品のものばかりであるのを見てとった。

「何かと思えば――。よく集めたもんだな」

「まあね。でもこんなのは公開用の一般情報ばかりだからね」

「これ以外の新技術について聞きたいか?」

「もちろん」

丹羽は目を輝かせた。よしよし、俺を仲間にして良かったと思わせてやるとしよう。

「セキュア・ミレニアムはこの下半期、いくつか大型新製品の発表を予定している」

少々思わせぶりに言葉を切ったりもする。

「その一つは指先静脈認証だ。既存の静脈認証の、現在どこの大手メーカーが提供している方式よりも、読取に必要な面積が狭く、認識スピードが早い」

迫力たっぷりに言ってやったが。丹羽の奴が今さら見当違いの質問をするものだから、その努力は無駄になった。

「それって……指紋認証とは違うの？」

「違う。指紋ではなく指先の皮膚の下にある血管のパターンを近赤外線などで感知し記録と照合する、今後主流になる技術だ。この血管のパターンは指紋と同様に固有性が高く、一生を通じ不変なんだ」

今ひとつ反応が鈍いので、俺はもう少し講釈を垂れてやることにする。

「登録された個人の生体情報と照合することによるバイオメトリクス認証技術というやつには、他にも色々な方法がある。指紋もその一つだし、声紋や、虹彩や、最近では顔面パターンなど。その中でも各社で商品化されすでに広く普及しているのはやはり指紋認証で、最近じゃ携帯電話にさえ組み込まれている。あのマーカーにも」

「うん、マーカーの入力装置は携帯電話と同じ機構を使ってるようだったね」

俺は頷き、一呼吸置いて言った。

「さてそれじゃ、なぜ真っ先に指紋認証が普及したのかがわかるか？」

丹羽は首を横に振る。

「指紋の固有性と不変性は古くからよく知られ、人々に深く浸透している。皮膚表面にあって目に見え、専用の装置などなくとも紙とインクといった原始的な方法で写し取り記録することができる。だから印章の代用に拇印《ぼいん》を用いることは、複数の文化で行われてきた歴史上普遍的な行為だった。そこから得られる安心感は大きく、その割に登録する際の心理的抵抗が少ない。現代の電子的なスキャンにおいても読み取る部位の面積が小さいことから、装置の小型軽量化・低価格化が図りやすい」

彼はそれぞれを考えてみるように少し黙って、やがて頷く。

「なるほどね」

「するとだ。その指紋認証よりも、新しい技術である静脈認証の方が優れている点は何だと思う？」

「わからない。何なんだ？」

「厳密な意味での《生体》認証方式である点だ。指紋は登録者の手指でさえあれば照合できる。不正に侵入を試みる者は過激で強引な問題解決に走るかも知れない。つまり、登録者の指そのものを入手しようとだな、切断――」

「うわあ。理屈はわかるけど、物騒なことだね」

「――そういう過激な行為を誘発するシステムは、結局のところ利用者のリスクをかえって高めてしまう。いくら財産や情報の守りが強化されるといっても、引き換えに身体が危険に曝《さら》されるようでは顧客の本意にそぐわない」

丹羽は無口になってしまった。気の弱いことだ。

「そこで静脈認証だ。血流が保持されていてこそ可能なこの方式は、切断された人体の一部では認証不可能であり、指紋認証のように利用者の身体に余計なリスクを強いることがない」

俺は半ばセールストークのように続けた。

「静脈認証は手のひら全体から始まり、指紋認証に追い付けとばかりに装置の小型化を図ってきた。当社の新製品は初めて実質的に指紋認証に対抗し得る、指先だけで認証可能なタイプなんだ。だからこのトライアルでも優先度の高い試験対象として、必ずどこかに採用されているだろう。ほら、憶えてるだろ、エントリ審査用健康診断の日に、指紋登録とは別に手の撮影めいたことをやったのを」

「憶えてる。ガラスのスクリーンに手のひら全体と指先を翳《かざ》して」

「俺はあれで確信した。このトライアルで、新型静脈認証システムのテストをやるのは間違いない。だが少なくともマーカー自体は指紋認証が採用されているとわかった。すると静脈認証が採用されているのはエントランス等外部への出入口か、それとも建物内か。しいて言えば俺はエントランスだと思う。効率面でも心理面でも、守りは外側をより厳重にしたくなるものだ」

開口部はエントランスの他に通用口、地下倉庫の荷揚口、外部非常階段、屋上出口があった。図面からは設置された認証システムの種類までは窺えない。

「門脇」

丹羽が嬉しそうに右手のひらを俺に向けて掲げたのは、別に認証のためではあるまい。俺はそれを得意気に叩く。

「君を仲間にしてよかったよ。他のチームはこんなこと知る由もない」

そうだろうとも。

「ただ、業界内では共通認識になっていることだから、そういうことに詳しそうなチームがいれば話は別だ。特に新年会の一件があった手前、二階堂社長のシステムトライアンフや他の競合企業がこのイベントを黙って見てるとは思えない」

丹羽は悪戯っぽく目を光らせた。

「するとどうなる？」

「どうなるかな。何か仕掛けて来るか、それとも別企画を立ち上げるか。企業名を冠したチームを送り込んでくることだってあり得るぞ」

「まさか」

だがそれは、あながち想定できない事態でもないのだった。

7

京葉線で千葉方面へ向かう途中には、海沿いの工業地帯、大規模遊園地、立ち並ぶ高層マンション群といった極端な眺めが次々と現れる。開放的だったり殺伐としていたり、そのくせ妙に子供っぽく人懐こかったり、それはこれから訪ねる人物の性格を表しているようでもあった。

俺と丹羽は、侵入それ自体を自分達二人で行うことはもう決めていた。だから総勢四名まで許可されているチームメンバーの増員については後方での技術支援以外、あまり必要性を感じてはいない。

「望めば後二名は仲間を増やせるわけだけど、侵入する頭数を多くすることはないと思う。必要なのはサポート・クルーだね」

その言い方はまるで宇宙飛行士の訓練体制みたいだったが、同感だ。

「だな。侵入メンバーにするには俺達と同様、健康診断や体力テストを受けさせなきゃならないしな」

丹羽は怪訝な顔になる。

「そういった点が問題なわけ？」

俺は何と言ったものかと思案し、説明した。高い能力を持つコンピューター技術者というものは、得てしてあまり外出や運動を好まないというイメージがあるだろうと。もちろん例外もいれば典型も存在する。が、これから会いに行く奴は後者なのだと。

「なるほどね」

うんざりした様子の丹羽に、俺は弁解がましく言い添えた。

「だが中に入った俺達の位置情報を外からモニターして、移動指示のフィードバックをやってくれるスタッフとしては、彼は必要十分なんだ。その点は保証する」

電話した限りでは向こうも大乗り気だったことだしな。

中井《なかい》馨《かおる》が一人で住んでいる、新浦安《しんうらやす》駅裏のファミリータイプ３ＬＤＫマンションを訪ねる。うち一部屋を書物や映像他のライブラリに、一部屋をマシン室に充てている彼のライフスタイルにとって、ワンルームマンションはあまりにも手狭だし、アパートでは床の強度が決定的に足りない。彼は穴蔵のような二部屋に出入りしつつ、もう一部屋で寝起きし、ＬＤＫで訪れた者を出迎えるのだった。

「久しぶり。元気だったか？」

高い能力を持つコンピューター技術者というものはまた、痩せているか太っているかの両極端だというイメージがあるかも知れない。この点について彼は前者だった。顎といい頬骨といい喉仏といい、みな尖った顔つきだが、長めの前髪の間から覗く目つきは表情豊かで、全体として不健康な感じはしない。歳は二十九、これで可愛いところもある。ニヤっと笑って中井は答えた。

「部屋から極力出ないようにしてるおかげで、風邪を引かない最長記録を更新中だ」

「そいつは良かった」

ほぼ半年ぶりに会う中井は前に会った時と同じ、素っ気ない白いシャツを着ている。素っ気ない点が前と同じなのではなく、シャツが同じなのだ。中井は洋服を買う時、ローテーションで繰り返し着るために、まったく同じものを七枚ずつまとめ買いする。五枚や十枚でないところに、現行の暦との妥協がみられて興味深い。よって彼のワードローブは夏用、冬用、春秋用の三バージョン×数パターン×七セットで構成され、あるパターンがくたびれてくると七セット丸ごとを廃棄し補充した。ちなみに今見ているのは春秋用らしく、だから半年前に見たのと同じシャツということなのだ。

「こちらは俺の学生の時の友人、丹羽史朗。チームのスポンサー兼リーダーだ」

「どうも」

中井は新来の客に軽く会釈して口を開いた。

「インスタントコーヒー、どうですか」

「俺はいいよ」

「僕は頂こうかな」

棚からマグカップを取り出しながら中井は丹羽に言う。

「俺を採用するかどうかは貴方が決めるそうですが。まあ役に立てるとは思いますよ。面白そうな仕事だから、こちらとしては使ってもらえるとありがたい」

正直で過不足ない、彼なりのアピールだった。高い能力を持つコンピューター技術者というものはまた、度を越した引っ込み思案か、さもなければ鼻持ちならない自信家のどちらかだという、偏見に満ちたイメージもあるわけだが。これについて中井はどちらにも当てはまらない。淡々としたセルフ・イメージとセルフ・コントロール、それが彼の特長であり身上であった。この部屋から出たがらない理由にしたって、決して対人恐怖などが原因ではなく、資源の浪費や交通事故、インフルエンザ感染等のリスクを伴う長距離移動にまったく必要性を感じないという、行き過ぎた合理主義の現れに他ならないのだ。

「あんたからも推薦してくれないか」

中井はポットの湯でお手軽に入れたインスタントコーヒーを丹羽に差し出し、俺を振り返って言った。そうしよう。

「この男のいいところは技術力だけじゃなく、突発的なアクシデントに対応する判断力も備えている点だ。そこを買ってやってくれ」

それこそが、彼が単なる引きこもりのネットオタクと異なる点だった。

退職する二年前まで、中井は俺と同じ会社の総務部に所属していた。社内システムの管理者として充分に有能だった彼は、毎日の通勤や、毎日まったく同じに見える服装のせいで清潔の観念に疑いを差し挟まれることや、その他もろもろの、会社という場所における非合理な習慣に大きなストレスを感じていた。電話とＦＡＸと電子メールとＴＶ会議の設備が普及した段階で在宅勤務を申請したが認められず、結果、彼はとうとう退職を決意するに至る。

有能なシステム管理者に去られることを恐れた俺はすかさず上司に掛け合って、中井が設立する新会社への社内システム管理委託契約に漕ぎつけたのだ。合理性を尊ぶあまり非常識すれすれの社員の扱いに困り果てていた上司も、今までやってきた仕事を受注してまずまずの安定操業を確保できた中井も、その双方から感謝された俺も、みんなハッピーに収まる悪くない解決だったと思う。

「うん、僕はいいよ。人選は門脇に任せるつもりでいたから」

丹羽はあまりにもあっさりとそういうことを言った。俺がこの友人の育ちの良さを感じるのはこんな時だ。これから仕事で協力関係になる野郎同士が初めて顔合わせして、ここぞとばかりに相手の能力を値踏みし品定めすべき場面じゃないのか。いきなり場を和ませてどうするんだよ——まあいいけど。

「それじゃ——」

喜びかけた中井に俺は待ったをかける。

「実はお前にまだ話してないことがある」

仕方がないので以降は俺が仕切ることにした。中井は交渉の相手が俺に変わったと認識し、こちらを注視した。

「ていうと？」

「現場は北海道なんだ」

チームに加わることを半ば信じて疑わなくなっていた彼の表情が一転した。

「う——それは、遠いな」

おそらく彼は口籠っている数秒間に技術的に可能なあらゆる方策を検討していたのだと思う。俺の方はすでにここへ来る前に、それどころか彼にこの話を持ちかける電話をする前に、その検討を終えていた。侵入メンバーの動きを外からモニターしてタイムリーに指示を返す後方支援、そのためにはすぐ傍にいる必要はないが、使用する電波の到達範囲から考えて東京にいたんじゃ無理なことは明らかだったのだ。すなわち、何とかして中井を説得しなければならない。

「中井、俺の考える限りでは、どうしても現地へ来てもらわなくちゃならない」

「――ここからじゃ、無理か」

語尾は疑問ではなく結論を示していた。技術的制約についてなら、他ならぬ彼自身が一番良く知っているからだ。俺は少々憂鬱な気分になる。説得するために俺は丹羽に許可を得た範囲での高額の報酬を提示するわけだが、それでも場合によっては中井から移動に伴う危険とその引き合わなさをたっぷり説かれることを覚悟しなくてはならない。しかし彼の答えは意外にあっさりしていた。

「わかった、現地に行くよ。ただし、条件をつけてもいいか？」

「どうぞ、言ってみて」

丹羽が鷹揚に訊ねる。価格交渉だと思ったのだろう。

「現地には行く。だけど自分の部屋から出なくていいようにしてほしい」

「ええ？」

俺達はその意味を計りかねた。

「つまり、キャンピングカーとかその類の設備を用意して頂きたいんですが、それは可能ですか？　機器の輸送やセッティングの面でもメリットはある。少々費用はかさみますがね」

なるほどね。それが中井の妥協点というわけか。望まぬ移動を強いられるのは我慢するが、競技の行われる場所の近辺に陣取ってさえいれば技術的制約をクリアできるから、自分が外へ出て行く必要はないと。あとは金の問題だ。

「ひいてはトライアル終了後にその設備一式を、そっくり寄贈頂けるとなおありがたい。それがこちらへの現物報酬ということで、いかが」

「いいですよ」

驚いたことにすぐにこれを呑もうと言う。俺は今度は丹羽に待ったをかけた。

「おい、金額を聞いてからでもいいんじゃないのか？　足が出たらことだぞ」

「赤字は覚悟の上さ」

持つべきものは資金力ということか。

「結構、それでいきましょう」

俺は二人の顔を見比べる。旧友の社交的な笑みに対して、元同僚は大喜びだった。

「それじゃ、遅くとも明日には見積りをお送りしますよ」

丹羽は予想外に金払いがよかった。俺なら中井みたいな奴が要求する設備関連の見積りを、この目で見る前に首を縦に振ったりは絶対にしない。そんな白紙の小切手を切るような真似、恐ろしくてできるか。

「この稼業も、設備投資が大変でね」

中井は俺には気安くそんな本音を吐いた。いいさ、この機会にせいぜい更新しときやがれ。ともあれ丹羽の懐の深さと暖かさのおかげで、俺達は思いのほか簡単に優秀なサポート・クルーを得ることができたのだった。


丹羽の事務所へ戻って来る頃には、辺りはすっかり暗くなっていた。俺は戸口に近い応接コーナーのソファに陣取って携帯電話を取り出すと、多すぎる緑に身を隠すようにして、ここしばらく使ってなかった番号を呼び出した。丹羽はと見ると、デスクの前でパソコンを立ち上げている。よしよし、しばらくそっちへ集中してでてくれよ、俺はこの電話に集中するからな。わざわざここへ戻って来るまで待ったのは、移動中でなく静かな環境でかけたかったからだ。

「さて、もう一人は実は鬼門なんだよな……」

「鬼門？」

「いやこっちの話」

さっさと済ませてしまおう。

「──ああ、門脇雄介と申します。加島縁《かしまゆかり》さんのお宅で？　──何だよ、本人か」

丹羽が聞き耳を立てるのがわかる。女の名前を聞きつけたからだ。あっ、くそっ、こっちへ来やがった。彼はわざわざデスクを回り込んで来て、俺の正面、パキラの隣に腰を下ろす。

「久しぶり。元気だったか？」

俺はさっき中井に発した第一声と同じ口調を心掛ける。丹羽は目の前で興味津々の表情を浮かべている。お願いだから、余計なプレッシャーをかけるのはやめてくれ。

「おかげ様で。門脇君はどうしてる？」

「前と変わらず」

加島縁はこれまた俺の会社の元人事部員で、実家の手伝いをするとかで昨年度末に退職した同期入社の女だった。俺は自分も辞めたのだとは言わないでおく。

「悪い、ちょっと教えて欲しいことがあるんだ。君の在職中、グループ会長が視察に訪れたことがあっただろう？」

もう一年以上も前だ。遠屋敷一眞が我が社を訪れた際に、当時まだ開発中だった静脈認証システムのデモをやったのだ。その際遠屋敷は自らの手の認証データを登録し、その場で実物と照合し、スチール枠に扉を取り付けただけのゲートを実際に開けてくぐってみた。のちの二階堂社長の皮肉に切り返す必要を予感していたわけではないのだろうが、極めて紳士的な物腰で。

「あの時に登録した会長のデータは、まだ人事部に保存されてるよな」

そうしたＶＩＰの見学や視察の対応は俺のいた総務部で行うが、社員や関係者から取得した認証データの管理は彼女のいた人事部の担務なのだ。

「うん、あれは正規データとして一式作成したから。規約通り三年間保存して、以降の更新がなければその時点で消去することになってる」

「保存はどんな形で？　サーバー上にデータを置いてあったりはしないか」

「まさか。ネットワークに繋がっていない外部媒体に退避して、本社人事部の施錠したキャビネットに保管されてるはず。でも、辞めた私なんかに訊かないでくれる？」

まあそうなんだが。そこは深く突っ込まないでくれよ、色んな意味で。俺は怪しまれずに情報収集がしたいだけであって。

「だよな、ごめん。じゃあさ、君がいつも昼飯を一緒に食べてた子にでも訊いてみる。

名前は何ていったっけ？」

「亜弓《あゆみ》ちゃんのこと？　うん、彼女に訊けばわかるはず。堀内《ほりうち》亜弓、漢字は土偏に屈に内、亜細亜《アジア》の亜、弓矢の弓。総務部の門脇って人から問い合わせがいくって、私からメールしとこうか？」

口調は事務的だが、さりげなく好意的な対応が嬉しいじゃないか。しかしこの場合、そんなことをされては台無しだ。

「いや、いいよ。結局必要なくなるかも知れないから」

俺は内心焦って断りながら、良心の痛みも感じている。遠屋敷会長の認証データを入手するため、縁の好意に付け込んで、いずれ彼女を欺くことになってしまうからだ。

「わかった――それとね。うーん、どうしようかな」

用件が終わった後も、縁は何やら言いたそうだった。

「何だよ？」

「――やっぱり言っとこう。あの子ね、門脇君のことをかなりいいと思ってるみたいだよ」

マジかよ。俺は複雑な気持ちに囚われる。後輩の女子社員に好意を持たれるっていうのは一般的には嬉しいことかも知れないが。だがそれを、他ならぬ自分がかなりいいと思っている元同僚から聞かされるってのはどうなんだ。

「はあ、俺なんかのどこがいいわけ？」

精一杯気のない声を出してみた。

「私もそう思って訊いてみた。そしたら、一見地味なのに態度は毅然としてるとか、結構声が低くて、スポーツをやってるわけでもないのに意外と筋肉質だとか。よく見てるよね」

顔が熱くなるのを感じた。くそっ、丹羽、ニヤニヤしてないでどっか行け。

「後はええと――パサパサした前髪をかき上げる仕草だとか、いつもは不機嫌そうな顔が笑うと目尻に皺ができて一気に緩むところとか」

ちょっと待て。それは美点なのか？

「彼女って、少しファザコン気味のところがあるから、面倒見のいい人が好きなのかも――まあ、そんなとこかな」

ひどいもんだ、面白がってる。俺としてはまるで縁本人からの言葉のように思えて、とても冷静ではいられないというのに。

「思い込みだ。俺がそんないいもんであるわけないのは良く知ってるだろ」

「ほんと。――あ、ごめん。でもあの子は大真面目だからね。そっちは彼女のことどう思う？」

ここに至ってとどめを刺された。御丁寧にどうも。

「いやあ、俺は聞かなかったことにするよ。悪い事言わないからやめとけって。実物がどんなもんかわかればきっとがっかりするぞ」

「そうかあ。残念」

俺もだ。まさかこんなところで大ダメージを被《こうむ》るとは思ってもいなかった。

電話を切るのを待ち構えて、丹羽が嬉しそうに訊ねる。

「何なの、彼女？」

「いや」

「それじゃもしかして、今の電話で告られたとか？」

わずかな同情の色。まあ、俺の台詞だけを追っていれば、そう聞こえるわな。

「違うんだよなあ。お前が誤解するのは無理もないが、残念ながらそうじゃない」

「どんなタイプ？」

「どんなって……普通だけどな」

「細身でショートカットで、ちょっときつ目の顔立ちなんじゃないか？」

図星だった。相棒の女の好みを把握してるのは何も俺の側だけじゃない。丹羽は見事言い当てたことを俺の表情から確信し、それに気を良くして、さらなる追求は勘弁してくれた。

加島縁は小柄で細身でショートカット、物言いは実も蓋もないし気は強いが、あれで案外世話好きなところがあり、上司にも後輩にも受けが良かった。その意味では人事部の仕事は天職だったろう。反面、妙に負けず嫌いで詭弁を弄するところがある。

彼女を巻き込んでしまうのは気が重かったが、人事部には他に知り合いなんていなかったんだから仕方がない。俺の心の中には小さな卑怯者がたくさん住んでいて、今さら彼女の声が聞きたいだとか、同期の友人として何らやましいところはないんだとか、矛盾する主張を口々に言い立てていたけれど、努めて耳を貸さずにこの電話をかけたのだった。結果、罰が下ったのかも知れない。

しかしとにかく俺はこの精神的な大仕事をやり遂げた。今日はこれまで。

「おい、コーヒーもらうぞ」

「どうぞ、美咲《みさき》ちゃんもう帰っちゃったから、給湯室好きに使っていいよ」

それがアルバイト女子学生の名前らしい。

「――で、僕にも一杯ね」

「おう」

インスタントしか入れるつもりはないからお安い御用だ。アジアンタムと睨めっこしながら湯を沸かしていると、デスクで丹羽が悲鳴を上げた。

「うわあ！　これはないよな……」

「何だ？」

「中井君からもう見積りが届いた」

Eメールでか。

「機器類にこんなに金がかかるなんて。やられた、これじゃ大赤字だ」

俺は感謝と仕返しを込めてここぞとばかりに言ってやった。

「赤字は覚悟の上だったんだろ？」

8

人事部がバックアップし保管しているという遠屋敷会長の認証データを入手するには、こちらが本社ビル内の人事部に侵入するか、あるいは入室を許可された人物に持ち出させるかのいずれかが必要なわけだが。この場合、前者の線で考えを進めてみる。有給休暇消化中の今月一杯はまだ社員なわけだから、俺のＩＤカードも総務部員としての通常設定が生きている。つまり本社内各所への出入りは原則自由、人事部や研究開発部門へだけは要許可の扱いだ。

そこで俺は、手続きの問い合わせと称して人事部員との面会予約を取ることにした。社内ミーティングはどのフロアの会議室で行ってもいいことになっているが、管理部門のそれも末端の連中は日常の窓口的業務から離れずに済むよう、必然的に自部署内のデスク傍でやりたがる傾向が強い。そこが狙い目だった。

縁と一緒にいる所を何度か見かけた記憶を辿れば、堀内亜弓は俺や縁よりも四、五年後に入社した、背の高い女子社員だ。フルネームがわかったので社内の従業員管理システムで検索してみる。黒目がちで大人しそうな、しつけのいい犬のような感じのする写真が表示された。ふうん、この娘が、俺をねえ。

その彼女とのアポイントが今日だった。俺はこのところ引継ぎ中心で暇になってきている業務の合間に、十一階の人事部フロアへ向かった。相手の人事部員が一時的に設定変更することで、今朝に限って俺のＩＤカードでもドアを開けることができるようになっているはずだが。頼むよ亜弓ちゃん、うっかりミスはなしだ。

果たせるかな、スリットにＩＤカードを通すと人事部のドアは何事もなく開いた。

フロアの真中辺りから見憶えのある顔が俺に向かって会釈する。白いセーターを着

た堀内亜弓だ。この子が俺に気があるなんて悪い冗談だよな。どうせならもっと早く

――いやいや。縁に聞かされた事は極力意識しないように気を付けよう。

俺は会釈を返しながら、壁際に総務部とほぼ同じ配置で並んだキャビネットに視線を走らせる。非常口近くの一角が過去データの格納場所になっているようだ。扉に《認証データ過去分》とラベリングしてある西暦年の数字から判断して、求めるデータは《D》と書かれたキャビネット内にあるだろうことが想像できる。

「おはようございます。あちらへどうぞ」

堀内亜弓は挨拶して、俺をパーティションなどで仕切られていない隅の会議卓へ案内してくれる。正面に腰を下ろしたおっとりした彼女はまあ可愛くないこともないが、立っている時の身長は百七十センチを確実に越えていて、これだと背の低い男からは敬遠されるかも知れないなどと思う――余計なお世話だ。

さてここから人事部員のデスクの列は目と鼻の先だった。俺は早速亜弓に対し、今日訊ねることになっていた《機密保持誓約書（退職後）》の記入について細かい質問を始めるが、一方で主任席の脇に目を走らせる。アルファベットを書いた小さなシールが貼られた鍵束を見つけた。よしよし、この鍵束の管理についてはよく知ってるぞ。社内各部署共通の規則で、日中は各主任が分担して管理し、帰宅時に保管庫へ入れ施

錠することになっているのだ。つまり鍵束は日中に限りこの場所にぶら下がっている。うまい具合に主任は離席中ときた。

俺は亜弓の説明に相槌を打ったり訊き返したりしながら、八割方描いてきた大まかなシナリオを十秒間でアレンジし、五秒間だけ検証し、すぐに行動に移った。

まず右手で書類に記入しながら左手を上着の胸ポケットの中へ入れ、そこで携帯電話を操作して、予め登録しておいた亜弓の机上電話を鳴らす。並行して窓口業務をこなさなければならない下っぱの彼女はすぐに気付いた。

「すみません、ちょっと失礼しますね」

言うなり席を立つ。どうぞどうぞ、ごゆっくり。俺は彼女の後ろ姿を見送りながら極力さりげなく、方向には細心の注意を払って、万年筆のキャップを床に転がした。

「おっと……」

大き過ぎない声で暢気《のんき》に呟いただけだったから、俺の方を見たのは亜弓の向かいで電話中の若い男子社員だけだった。その彼もすぐに自分の仕事に意識を戻す。俺は絶妙の勢いで転がってゆく万年筆のキャップを追いかけて身を屈め、主任席の下に身体半分潜り込んだ。

そうして誰からも死角であるその位置、その姿勢でズボンのポケットから取り出したのは、空色のロゴが書かれたミントタブレット《フリスク》のプラスティック・ケースである。これにはちょっとした仕込みがしてあった。スライド式のケースの内側、引き出しにあたる中箱には玩具用の明るい色の小麦粘土をびっしりと隙間無く詰め込んであるのだ。ケースを閉めるとありふれたミントタブレットの外見、持ってみると違和感のある重さ。そのケースを目一杯に開き、俺は目の前の鍵束から目指す《D》の鍵を選び出して小麦粘土の表面に押し当てた。ぐっと力を込め、鍵の根元が内箱の手前の縁に接触するまで粘土の中へ沈める。外してみれば粘土の表面には、鍵の先の凹凸や曲線が余すところなくくっきりと刻印されていた。これでいい。この鍵は両面対称のタイプだから裏面は必要ない。

ケースを閉め、キャップを拾い、机の下から抜け出して、元の会議机へ戻る。その間二十秒も経っていないから、周囲の状況はまったく変わっていなかった。堀内亜弓は無言電話を不審に思いながら受話器を置いたところ、向かいの男子社員はまださっきの電話を終えておらず、主任席も空席のまま。ただぶら下がった鍵束だけが微かに揺れている。俺は悠然と万年筆のキャップを閉め、亜弓の戻りを待った。

「失礼しました」

「一通り書いてみました。チェックして頂けますか？」

「はい。——ここと、ここはいいです——ここも結構です。後はこの欄だけ」

「……ああ、うっかりしてました」

俺は見落としていたふりをして残りの空欄を埋めた。

「これでいいですか」

「結構です。お預かりします」

と、亜弓の視線が机の上のフリスクのケースに注がれているのに気付く。俺はにこやかに言った。

「午後イチは眠気覚ましが必要でね。どうですか」

意外にも彼女はにっこりと笑って手のひらを差し出した。可愛いじゃないか。

「ありがとう、頂きます」

俺は慌てず騒がずケースをその手に置いてやる。彼女はちょっと振って三粒ばかりを取り出し、口に含んだ。

「どっちかっていうとスペアミントよりペパーミントの方が好みだ。君は？」

「私も」

だから俺は良からぬ使い途には粘土の詰まった空色のスペアミント、リフレッシュ用には本物の詰まったネイビーブルーのペパーミントと決めているのだ。

急に振り回した丹羽の片腕がデスクの脇のパキラに触れて揺れた。先日のジャングルは姿を消し、この事務所内の観葉植物の量はすっかり常識的になっている。少々残念な気もしたが。

9

「どうして駄目かなあ。説明しろ」

同行を許そうとしない俺に、やや気色ばんでいる様子だ。この男にしては珍しい。

「おいおい、お前が行くメリットがないよ」

「君と危険を共にしたいんだ」

泣かせることを。だがその手に乗るわけにはいかないのだ。

「わかってるんじゃないか。その通り、場合によっては危険も予想される。足手まといになると知って連れては行けないさ」

人事部への穏便な侵入を成功させたことにより、俺達の手元には遠屋敷会長の認証データが保管されているキャビネットの合鍵が出来上がっていた。それを使って目指すデータを取り出すためには、再度人事部への侵入を試みなければならない。それも今度は人知れず忍んで行きたい。さてどうするか。

　どこも似たようなものだと思うが、俺の会社でも半年に一度ずつ夜間を利用して、カーペットのダニや給湯室のゴキブリ駆除のための殺虫剤散布が行われている。その際にはセキュリティ関連システムは切られ、扉や窓の開放が許可され、警備や総務部員立ち会いの下で請負業者の自由な入退室が確保されるのだ。お誂え向きにその殺虫剤散布が数日後に迫っていた。狙うならその晩だ。

「……はっきり言うねえ」

「この件にはささやかながら俺の人生がかかってるんだよ。お前だってそうだろ？」

「まあね」

「だから俺が行く」

　俺は台湾政府視察団来訪の際に撮影した記念写真から、最も真正面に近い角度で写っているビジターカードを選び出した。一日限りの外来者に貸出されるそれは、クリーム色の背景に黒い文字で《VISITOR》とだけ書かれた写真のない共通カードだ。この画像データを実物サイズに拡大し、フォントの輪郭を調整した上で、厚紙に印刷し表面にツヤ加工を施せば、手に取らない限りプラスティックの本物とまず見分けがつかなくなる。塩化ビニールのカードケースに納めて、委託業者を示す黄色のネックストラップをつければ完成だ。

カードの完成を待つ間には浅草橋へ行って、出入りの害虫駆除業者のに見た目がそっくりな、青い作業服も用意しておいた。長年総務部員を勤め上げ、何度も業者の受入れを経験した俺と中井にとって、この辺のディテール再現はお手のものだった。むしろ心配すべきは業者や警備員の中にいても不思議でない、顔見知りに見咎められることの方なのだ。

話を切り上げようとした俺に一旦は表情を緩めたかと思えた丹羽だったが。

「でも君が行くことに関しちゃ、知り合いと鉢合わせする危険が伴うんじゃないの？」

痛いところを衝いてきやがった。

「う……否定はしない。しかしだからといってお前が一人でどうするってんだよ」

「そう心配することもないよ。内部の様子に関しては君と中井君が知り尽くしてるわけだし。あの研究所に忍び込むことを思えば簡単だろ」

俺は説得されかけていた。

「そうだけど——」

「事前の予習と本番での誘導があれば大丈夫だと思うよ」

「——仕方ない、お前がやってみるか」

俺がとうとう根負けすると、丹羽は嬉しそうに笑って言った。

「そう来なくちゃ」


殺虫剤散布当日。俺はレンタカーで調達したいかにも人目につかなさそうな白のカローラを、本社ビルの裏通りに駐車して、その中に陣取った。内部の様子を図面や写真で頭に叩き込んだといってもこのビルに入るのは初めての丹羽に、ここから携帯電話で細かい指示を出すわけだ。通用口やそこにある警備員詰所も視界の範囲だから、警備員や業者の動きもある程度なら摑むことができる。

「準備はいいか」

「いつでもいいよ」

携帯電話を通して答えが返ってくる。インカムを装着してハンズフリーの丹羽は俺が用意した青い作業服を着込み、紙製のビジターカードをセットしたネックストラップをぶら下げて、通用口付近の植え込みに身を潜めていた。声が心なしか震えているようなのは、辺りが冷えてきたせいだろう。時計を見ると十一時を回っている。もう少しの辛抱だ。

と、俺の横の路上を出入りの駆除業者のワンボックスカーが二台、減速しながら通り過ぎる。それらは本社裏の敷地に入って駐車した。

「ああ、御苦労さん」

「どうも、お世話になりまーす。終了予定は午前二時頃です」

数名のざわめきに続いて、業者と総務部員のやや間伸びしたやり取りが聞こえてくる。彼らにしてみれば、定例の決まりきった作業の始まりだ。開け放たれた通用口の内側から漏れる光に照らされて、車体に白アリのイラストをペイントしたワンボックスカーからぞろぞろと降りて来る駆除作業員の列が見えた。総勢十名前後、これで確かワンフロアに十五分程度はかかる。彼らの作業服にもビジターカードにも、俺達が準備したものと違って見える点はない。俺は丹羽に携帯を通して囁《ささや》いた。

「今だ、行け」

「了解」

作業員の最後尾の老人に遅れることたっぷり十メートル、エレベーターホールで彼らと合流してしまわないだけの距離を置いて丹羽が続く。今しも通用口の扉を閉めようとしていた警備員に会釈して滑り込む、奴の茶色い後頭部が見えた。

「今ビルに入った」

「いいな、エレベーターは一番奥のを使うんだぞ」

「わかってる」

　俺の立ち会った時の散布作業はいつも、上層階から始めて下へと進めていくのが常だった。タンクや噴霧器など嵩《かさ》ばる機材を持ち込む作業員達は、最も手前の貨物用エレベーターに乗り込んで、最上階である十二階へ向かったはずである。俺と丹羽は貨物用よりも各段に早い高層階用エレベーターを使って、彼らの先を越そうというのだ。とは言っても降りる階は別だが。

「十一階に着いたよ」

　いいぞ。

「事務所の入口が四ヶ所、わかるな。開いてるか？」

「ああ、全部開け放ってある」

「人事部と表示のある北西側へ入れ」

「はいはい」

　丹羽はえらく楽しそうだ。それはいいが、用心だけは怠るなよ。

「うわあ、並んでるねえ」

　北側の人事部は、片方の壁面全部にずらりとファイルキャビネットが並んでいる。

「いいか、《Ｄ》と書かれたキャビネットを見つけて、そこから二〇〇四年二月のファイルを当たれ」

「今ペンライトを点けた。《D》ね……うん、あった。一番左奥だな。鍵を差し込んで――廻した」

合鍵の出来栄えについてはあまり心配していない。製作を頼んだ鍵屋も型を取った俺も、この方法でやるのは別に今回が初めてじゃないからだ。

「――よし、開いたよ」

むしろ心配なのはここからだ。どこのオフィスでもそうだが、キャビネットの中身はすっかり入れ替え済みのくせに、外側のラベルをそのままにしているなどという事態があり得るからだ。

「中は整理されてるか？　どんなファイルがある？」

「ちょっと待って……厚さ八センチくらいのA4ファイルが並んでる。背表紙のラベルは、認証データ、二〇〇三年上半期、二〇〇三年下半期」

「それだ！」

俺は思わず叫んでいた。

「一冊抜き出したけどさ――これってどうも中身は書類じゃないね、MOを入れるための専用ケースみたいだ。あ、やっぱり。中はディスクがぎっしり」

「それでいい。一枚ずつはどんな分類になってる？」

「名前のアイウエオ順だね。ＭＯのラベルにはそう書いてある。試しにタ行の中身を読み出してみるよ」

「ああ、残り時間を意識しながらな」

　俺達は始めから記録媒体そのものを持ち出すつもりは毛頭なく、データをその場でコピーしてくることに決めていた。何であれ、紛失したとわかれば捜索や使用停止の対応が取られる。余計な攪乱を望まない俺達にとって、盗まれたことを誰にも気付かれない状態がベストなのだ。

　記録媒体の種類は事前に特定できなかったので、様々な場合に対応できるよう、ＰＤＡとケーブル一本で接続可能なＣＤ‐ＲＷ、ＭＯ、ＦＤ、ＵＳＢメモリ、フラッシュメモリなど各種のリーダーやアダプターを作業服の各ポケットに分散して持たせてあった。電話の向こうからごそごそやっている気配が伝わってくる。

「表示したぞ。タが多いな――ツ、テときてやっとト。よしあった、遠屋敷」

　会長が珍しい姓でよかった。

「コピーしろ」

「やってるよ。あと何分？」

ここで俺はまた時計を見た。今は十一時九分。すぐ上の十二階ではもう散布作業が始まっている頃だ。うち微量は丹羽のいる階にも漏れて来ているはずであり、次第にその量は多くなるだろう。本物の作業員のように保護マスクまでは装備していない丹羽にとって、ぐずぐずしていることは身の危険を意味するのだ。そのためにも一刻も早く、十一階を後にさせたかった。

「ワンフロアにつき十五分見当だから、その階の作業が始まるまでにはまだ大分ある。だけどゴキブリと一緒に駆除されたくなけりゃあと二、三分で切り上げろ」

「わかった」

「データすべてをコピーする必要はないぞ」

「もちろんだよ。遠屋敷の分だけをやってる」

「そうじゃなくて、遠屋敷のであっても網膜や顔面画像なんかの大きなファイルは持ち帰らなくていい」

「う〜ん、そうかな。でもチャンスはこれっ切りなんだから、一式コピーしておくよ」

「無理するなよ」

「大丈夫——よし終わった！」

丹羽のＰＤＡには指紋から指先静脈、網膜から虹彩、骨格に至るまで、ありとあらゆる遠屋敷会長の生体認証データがコピーされたというわけだ。キャビネットにファイルを片付けるバタバタという音がした。

「よし、鍵をかけ終わった」

「急げ。廊下へ出る前に気配を窺うんだぞ」

「うん、誰もいない。非常階段への扉も解放してある」

以降は俺ももう声をかけることを避け、しばらくしたら丹羽が姿を現すはずの通用口を注視した。待つこと数分——実に長く感じられる。やがて扉が細く開いて見慣れた顔が出てきた。警備員に挨拶し、業者のワンボックスカーへ小走りで向かう。乗り込むと見せかけて死角をすり抜け、俺のいる車の方へ駆けて来た。

「お疲れ」

俺はそれくらいしか言えなかった。何よりも自分がほっとしていたからだ。

「下りとはいえ十一階分の階段は足にこたえるねえ。膝がガクガクするよ」

対して丹羽は屈託がない。後ろから普段着の入った紙袋を取り、助手席のシートを目一杯後退させて、作業服を着替え始めた。

俺はというと、何だか妙に照れていた。戻って来た丹羽の姿を、その表情を見た時、俺は無性に安心し、これ以上ない程に嬉しかったのだ。意外だ、奴のことをそんなに心配していたなんて。

10

中井とのミーティングは毎日定刻にインターネットの会議システムを通じて行うことになっている。その日も、いや、深夜を希望する中井に合わせてその晩も、俺達は丹羽のデスクを挟み仲良くパソコンを立ち上げて、彼からの連絡を待った。

ディスプレイの上部に自分を除く二者の双方向ライブ画像が表示されると、俺は中井のような人種に合わせたおはようでもこんばんはでもない汎用的な挨拶を口にした。

「どうも。お疲れ」

「お疲れ。今日はまずこっちから報告していいかな」

俺が促すと中井はすぐに始めた。

「預かった遠屋敷の静脈パターンデータを、感光性樹脂を使ってシリコンの中に立体的にマッピングして、持ち運び可能な人工掌を作成する」

向かいの席のデスクトップパソコン越しに丹羽が俺に目配せする。話の腰を折るような瑣末な質問は避けるから、後で説明しろと要求しているのだ。

「見た目はなかなか間抜けなシロモノになるよ。少々重いものだけど、手のひら全体を作ろうか。指先だけでいいか？」

「全体だ。研究所内には旧式の手のひら静脈認証システムもまだ残っている可能性が高いからな。それを二セット」

「二セット？」

「研究所内で俺と丹羽が別々に動き回れるようにだ」

丹羽が別行動を取る目的については伝えていなかったが、ディスプレイの中井は頷いて次の報告に移った。

「現場付近の様子だけど。雰囲気を摑むためにネットで衛星写真を検索してみた」

俺はほう、と思った。外へ出ないという自らの主張を通すからには、こいつなりにやることはやっている。何だかんだ言ってもこういう所がその辺のオタクと違って信用できるのだ。

「――すると、妙なことに気が付いたんだ」

「どうしたの？」

丹羽が訊ねていた。つい我慢ならなくなったらしい。

「この周辺はどちらの方向へも十キロメートル以上に渡って、鉱山も公共施設も主要幹線道路もないわけだよな。あんた達、現地へ行ってみてどうだった？」

「その通りだった」

「だろうな。それに携帯も通じないっていうのは、人家がまばらで通信各社がビジネスの対象としての優先順位を低く見ていることと、行政もそう考えていることの裏付けだ。違うか？」

「違わない。だから主催者はわざわざ敷地内にマーカー用の専用電波受発信設備を立てているし、俺達は通信にトランシーバーを利用する」

「それなのに、軍事衛星写真のフォローだけはやたらきめ細かいのはどうしてだ？」

俺と丹羽は顔を見合わせる。

「何の話だよ」

こういった時に彼はインターネット上で公開された資源探査衛星の画像や地図製作会社の航空写真だけでなく、非公式に流通している軍事衛星などの画像も検索するわけだが、いずれも場所によってその解像度に差があるのが普通だという。中井は例を上げて説明してくれた。例えば千代田区《ちよだ》市ヶ谷《いちがや》の一角と、和歌山県の吉野杉の山林では、走査単位であるグリッドの一辺の長さや走査精度に歴然たる差があるものなのだそうだ。そして問題の土地に関しては。

「あそこはちょっとおかしい。民間の衛星写真は何もない場所相応の扱いをしているのに、軍事衛星には精査され過ぎている」

「それってどういうこと？」

「さあな。まずありそうにないことだけど――」

「けど？」

「この近くに米国政府の監視したい何物かが隠されているとかね。例えば軍事拠点とか、原子力関連施設とか、大企業の先端技術実験場とか」

そんなものがあるか？　傍らにあった地図を広げて考えてみるが、俺には思いつけなかった。一番近い幹線道路はそこから六十キロは離れているし、空港や自衛隊の演習場はもっと遠い。

「ええと、あるじゃない。セキュア・ミレニアム社の研究所が」

丹羽の言葉にディスプレイの中井が鼻白んだのが、粒子の粗い映像でもわかった。

「それはどうかな。自分が元いた会社のことながら、ちょっと地味過ぎると言わざるを得ないですね。セキュリティ関連技術なんて、国内では最先端でもほとんど米国企業の追随だし」

俺も同感だ。

「じゃあ何？」

だが俺も中井も、その問いに答えられるわけではなかった。他に何があるだろう？

もちろん、そんな話は聞いていない。丹羽はまた口を開いた。

「遠屋敷の私邸だったとしたらどう？」

「同じことです。米国家安全保障局《NSA》にとってそれが果たして重要な監視対象と言えるのかどうか」

俺と丹羽は再び顔を見合わせた。そんなことってあるか？　当然だが、結局誰もこの謎に答えを出すことはできなかった。


こちらから中井への新たな情報提供と指示を済ませ、その晩のミーティングはお開きになった。まだ調べ物をするという丹羽を残して、事務所を後にする。振り返って見上げる窓の明かりに、俺はある種の感慨を抱かずにいられない。

改めて丹羽と自分を引き比べてしまうのだ。離れて過ごした卒業後の十二年、言うまでもなくその間の研鑽が彼我の差をもたらしたのだろう。そのことを俺は一も二もなく認めるし、友人の成功に惜しみない拍手と賞賛を贈りもしよう。だが——丹羽と違って——俺の人生の前半は、自分の進む道を好きに選べない、枷《かせ》とでも言うべき、ある運命に付きまとわれていたことは確かだ。

この期に及んで、まだ丹羽に打ち明けてもいない秘密がある。俺の戸籍やＩＤカードに記載されている名前——門脇雄介——は、俺の本当の名前とはまるで似ても似つかないものなのだ。

11

子供の頃の父親の記憶といえば、いつも忙しくしていてほとんど帰って来ることもない、それに尽きる。だからといって俺は父を嫌ったり、反感を持ったりしていたわけではなく、どこの家もそんなものだと思っていた。母親も母親で俺に、大きな商売をやっている偉い人なのだ、お前もあのようにならなくてはならないと言い聞かせていたから、小さな頃は素直にそう信じていた。あまりよくは知らないが信頼できる、というのが俺の父に抱いていた感情のほとんどすべてだったのだ。

その両親が一度に亡くなったのは十四歳の夏だ。夏休みの小中学生を集めて一週間ばかり開催されるキャンプ。俺の参加を申し込み、母はその間を利用して父の出張についで行くのだと言っていた。ことによると夫婦水入らずの旅行も兼ねていたのかも知れない。少々ませてきていた俺はそんなことを思ったものだが、後に周囲の大人達が噂したように、その時の両親が他にも何か計画しているのだろうかとは少しも考えはしなかった。

旅先のカナダ、現地の湖の底から、父の借りたレンタカーと二人の亡骸《なきがら》が発見された。事故だろうとも心中だろうとも考えられた。ただ状況に不審な点はなかったし、遺書らしきものも見つからなかったから、不名誉な憶測の根拠は専ら父の残した傾いた事業と、億に近い額の負債だった。

俺は一人っ子で、両親の父母ももう亡くなっていたので、それまであまり会ったこともない伯父伯母がやって来て葬儀を執り行った。会社の会計担当者や弁護士といった人々も訪れて事後処理に当たった。そして父の共同経営者という人物は俺に、残された負債を負わなければならない法的な責任はないと、はっきり言い渡した。親戚達はそれでいくらか安心したようだったが、だからこの子を一緒に連れて行かなかったのか、と余計なことまで口にした。俺はあらゆる意味で取り残されたのだ。

借金は結局どうなったかというと、葬儀に来ていたその共同経営者が引き受けたのだという。中学生の俺が想像するに、そこには彼自身の父に対する恩義や禍根や謝罪など、何らかの想いがあったのかも知れない。しかし大人になった俺が考えるに、つまるところ彼は商売を続けたいと考え、その気力を奮い起こすためにそうしたのではないか。当時まだ三十を過ぎたばかりの彼の名は二階堂勝利といった。

俺の父とコンピューターサプライ用品の輸入販売をやって失敗した二階堂は、次に興した会社ではそれをインターネット通販という新しい販売チャネルに乗せ直し、取扱商品の幅を一般の事務用品に広げることで巻き返しを図った。思惑は見事に当たり、彼は俺の父の負債を返して余りある利益を得る。その後は世間に知られたストーリー通り、現在のシステムトライアンフとして大成功に至るのだ。

高校生になると俺は親戚と弁護士に許しを得て二階堂に手紙を書いた。人並みの自立心を芽生えさせた子供としては、自分を救ってくれた人物に感謝と恩返しの意志を伝えたかったし——彼は一度もそれを要求したりはしなかったが——いつか何とかして負債を返したいとも思ったからだ。我ながら健気なことだ。すると、意外なことに。手紙の中でいつになるかわからない返済を誓い、せめて何かの役に立ちたいと書いた俺の元へ、ある日彼の秘書の一人だという男がやって来たではないか。

強制ではないという前置き付きで、彼は高校生の俺にもわかるような言葉で持ちかけた。二階堂社長は君にお父さんの債務を負わせはしない、しかしもしそれで気が済まないならば、一つ頼みを聞いてほしいと言っていると。

奇妙で突拍子もない、その頼みとは。これからの長きに渡り、ライバル企業の一員として働きながら情報収集する役目を引き受けてくれないかというのだ。場合によっては合法でないこともやってもらわなくてはならず、ついては別に戸籍を用意したから、引き受けてくれたらそちらの名で進学し就職してもらうことになる。冗談かと思ったがそうではないらしかった。承諾することによりこちらが受ける制限と利益の数々——その一つは債権者からの保護という形ですでに受け取っていた——を丁寧に説明してくれる。それまでの戸籍は保存し、俺は別人としての進学、就職、結婚などをすることになるがその代わりに、大学進学の学費や生活の面倒はみてくれる。

しばらく考えろと言われて、そうした。ほんの子供である自分をこの大人達はどうしようとしているのか。騙そうとしているかも知れないし、ことさら大事に扱ってくれる理由もない。しかしすでに彼らは、必ずしも合法的に振舞うとは限らない債権者達から俺を守ってくれたわけで、それだけでもありがたいことなのだ。子供時代の終わりを静かに過ごした当時の俺は、大学進学の断念という形で、一旦は世間の荒波に飛び込む心構えができていた。しかし、そうしなくても済むのなら。

考えた結果、俺は引き受けることにした。

承諾の答えを返すとすぐに、門脇雄介なる人物の戸籍が提示された。その名前を使って秘書に手伝ってもらいながら、俺は住民登録や高校の編入手続きをした。俺はことあるごとに想いを巡らさずにいられない。門脇雄介とは一体どんな人間なのだろう。おそらくその時までに何らかの理由ですでに命を落としていたに違いないが、もちろん詮索など許されるはずもない。俺と同じ年に東京に生まれて、若くして死んだが、届けられることすらなかった少年。彼に比べれば自分はまだ恵まれている方だとも思った。無理にでもそう思わせてもらうことにした。

別人となった俺の転校させられた先は首都圏にある全寮制の進学校だった。俺を知る者は誰もいない落ち着いた環境で、目的と競争相手を得てせっせと勉強し、クラブ活動もし、友人を作り、高校時代をそこそこ楽しんだ。結果、まあまあ優秀な成績を維持した俺は都内の私立大学に進学した。比較的のどかな生活は丹羽と知り合うこととなった大学時代にも続いたが、一方で俺は次第に言い渡された使命をより具体的に意識するようになっていた。二階堂勝利と競合関係にあるＩＴ企業のどれかに入社し、その内部の状況を継続的に報告する。そのためには大学在学中からセキュリティや建造物侵入の研究に進んで取り組み、それなりの知識を得るように心掛けた。

俺は話の奇抜さと気の長さに半ば呆れながらもそれに慣れた。言われた通りに履修選択をし就職活動をしたからといって、採用されるかどうかなどわかったものではなかったが。しかし面接を受けたうちから俺は遠屋敷一眞傘下のセキュア・ミレニアムに採用され、結果として二階堂の迂遠な思惑は叶うこととなったのだ。

以来今日まで、産業スパイよろしく新製品の定期連絡やたまに指示された個別調査などをこなしながら給与所得のうち相当分を返済のための貯金に回す、地味で堅実でスリル溢れる毎日である。目立たず、問題を起こさず、勤勉で有能だが堅実で誠意ある態度を心掛けて。

精神的にも技術的にも、思ったより難しくはない。俺が二階堂に恩義を感じていることは事実だが、父親の葬式以外に会ったこともないため心情的な思い入れはそれ以上に深まらず、かといって意地になって返済を早めようともせず、割合に淡々とした毎日が過ぎていった。学生時代に得た知識はそこそこ役に立ち、今のところ二階堂が秘書を通じて出してくる要望にはまあ忠実に応えられている。

別段どうしてもやりたいことがあったわけじゃなく、俺が何になってどんなことをしようが喜んだり悲しんだりする人間がいるわけでもなかったから、誰かがそれを望むのなら――たとえほとんど会ったことのない父親の元共同経営者でしかなくても――そいつのために少々のことならやってやろうと思っていた。たまに俺の上げる成果に彼が満足しているらしいことを伝え聞けば、それなりに嬉しかった。

考えてみればあの時から、俺の人生は俺のものでなくなったのだ。試しに想像してみるといい、他人のものになった人生というものを。そんなものは窮屈で我慢ならないと思うだろうか。生きる値打ちがないと思うだろうか。しかし俺は意外にも、それでも別段構わないと感じていた。二階堂のものにならなければまた別の、本当に容赦のない債権者という他人のものになっていただけだろうから。

俺は自宅アパートのある駅で降りると、いつものようにコンビニエンスストアへ寄って今晩の缶ビールと明日の朝の餡パンと牛乳を調達した。ドラマチックな俺の半生や、物騒で景気のいいトライアルの話が嘘のようだが、これが生活ってもんだろう。

気が向いたのでそのまましばらく歩く。俺はどうということのない夜の街を歩くのが好きだった。繁華街よりも、工場や、港や、人の気配のする住宅地、それに学校など、昼間大勢の人が賑やかに出入りしていることを想像させる場所がいい。誰かと話をしたい程でもないが、部屋で一人でいるにはうら寂しい、そういう気分を埋めるには、こうして夜の街を歩く。酒場へ行くでもなく、テレビを見るでもなく、オフィス街の通りを見回っている警備員とすれ違ったり、駅のロータリーで客待ちのタクシー運転手の雑談を小耳に挟んだりするのがちょうど良かった。

アパートに帰り着くと、背の高い男が玄関先に立っているらしいのがわかる。俺が警戒しながら近付いてゆくと、途中で相手から会釈をされた。

「こんばんは。残業ですか」

「あんたか。だいぶお待たせしましたか」

この初老の男が二階堂勝利の秘書、佐倉田《さくらだ》要《かなめ》である。

「いいえ。いらっしゃらなければ出直すつもりで、連絡もせず立ち寄ったんです」

丁寧だが慇懃ではない、優しいしゃべり方をする男だ。色白の細面、草食動物のような穏やかさを備えた彼は、俺のような年少の者に対しても謙虚で遠慮がちだった。

二階堂とは同い歳で創業時からの仲間のはずだが、経営の主要な部分には参画せず、専ら裏方ばかりを好んで引き受けているということである。例えばこんな、俺との連絡係のような仕事も。

「まあ入ってください」

扉を開け、季節を問わず食卓を兼ねている電気炬燵《こたつ》の前の座布団に座らせて、茶など出してやる。佐倉田はそんな俺の動きを目を細めて見守り、ややあって口を開いた。

「貴方にお知らせとお願いがあって来ました」

個人的な頼み事でもあるかのような口ぶりだが、そんなはずはない。なぜならこの男と俺の関係は二階堂の指示を伝える者と実行する者という、ビジネス以外にあり得なかったからだ。もっとも向こうは俺がまだほんの高校生の頃から何くれとなく世話を焼いているわけだから、少しは情が移るというようなこともあったのかも知れない。俺の方でも正直なところ、この男の気遣いがまるで保護者のそれのように感じられることがあった。

「ミレニアム・グループのトライアルに参加されるそうで。そのために会社も辞められたのですね」

まずいな、もう知られてしまったのか。それでも俺は思ったことを表さず、何食わぬ顔で返した。

「話が早いですね。どうやって知ったんですか?」

「あの会社で調査に協力してくれているのは、貴方だけではないのです」

そういうことか。

「学生時代の友人に誘われたんで、これはきっと二階堂社長も俺が参加することを望まれるだろうと思って。規定の関係上、退職は止むを得なかったんですが、すみません、事前に相談すべきでしたね」

我ながらとぼけた言い草だ。無断で退職するなど許されるはずもないから、俺としてはできるだけ長く隠しておくつもりだった。こんなに早くばれたのは不本意だが、今のがそう説得力のある説明だったとも思えない。しかし佐倉田は焦る俺に鷹揚に微笑んで言った。

「結局は同じことだったかも知れません。社長は最初、貴方を含む数名の候補者から誰かを参加させようとお考えだったので」

「そうなんですか?」

「ええ。でもその人選中にいち早くエントリしたのが貴方でした」

「それじゃ俺は結果的に、あの人の思惑に沿った行動を取れたわけだ」

この件をきっかけに捨て駒なりのけじめをつけようと考えていた俺としては、お咎めなしならなしで拍子抜けする。

「そうですね。気の早い奴だと愉快そうにおっしゃっていましたよ」

しかしだ。俺やその他の非公式の調査員が候補に上がっていたのだとすると、二階堂が望んでいるのは、自社の旗を背負った社命チームが競技に勝って、新年会での不名誉を晴らすことではないのだろう。訊ねると佐倉田はその通りだと言った。

「社長は貴方に優勝を望んではおられません。そんなことをすれば人目につく。お願いしたいのは、貴方がこれまでやってこられたのと同じ情報収集なのです」

やはりそうか。悪いが今度ばかりはそれを呑めないかも知れないんだ。だが俺は思っていることと反対の返事をした。

「わかってますよ。元からそのつもりだ。これまで通り地味な活動を心掛けましょう」

佐倉田は嬉しそうに微笑んで頷いた。こういう顔をされると妙に居心地が悪い。自分のことを甘やかし過大評価する年寄りか何かを前にしているようだ。この役目を引き受けた当初から、俺が独自に判断し行動することについて彼らは比較的寛容だった。それは突き詰めれば遊軍である俺の位置付けと、きちんと上げていた実績からくる扱いだったのだろうけれど。

彼は茶を啜ってさらに続ける。

「二階堂社長は終了後の貴方の業務についても別途お考えのようですから、その点は御安心ください」

隠密として使った後は関連企業の社員にでもしてくれるつもりなのか。俺は二階堂やこの男が心情的に嫌いではなかった。だからこういった計らいを、有難迷惑と思うことさえ封じられていた。俺はただ頷いて、複雑な想いのまま、今回も進んで彼らの思惑に沿った動きをすると誓うことしかできなかった。

佐倉田は茶を一杯飲み終わるうちに必要なことを伝え終え、俺に身体に気をつけるよう言い添えると、来た時と同じように静かに帰って行った。彼のおよそあらゆる競争への参加を断念したかのような生き方は、時としてある意味救いに感じられることがある。そういう生き方だってあるのだと知れば、自分が置かれたこの借り物のような境遇も、さほど悪くないものに思えてくるのだ。

ただし今夜は違った。一人になると俺はこのやっかいな事態を噛み締めた。できればトライアルが終わるまで参加を二階堂側に知られず、無理ならせめて直前までは秘密にしておきたかったのに。二階堂側が俺の勝手な動きを現段階で咎めようとしなかったのは御の字だ。問題は、俺がそのような命を受けて動いていることを知ったら、丹羽が一体どう思うかだ。俺が彼からの誘いに乗った事実を、最初からスパイ目的で、振って湧いた状況を上手く利用したのだと考えるに違いない。

だからといって丹羽に今この状況を話しても、何の問題解決にもならないこともわかっている。俺は双方に何事をも気取らせず、トライアルに優勝して、八方丸く収めなければならないのか？　そんなことができるのか？

12

翌朝丹羽に電話をかけたのは、何となく面と向かって話しづらいと思ったからだった。九時台とあって、アルバイトの女子学生が出る。俺はてっきり丹羽がまだ来ていないのだと思ってほっとしたが。

「数分後に折り返しこちらからおかけします」

「え、いるの？」

俺は面食らって訊き返した。

「給湯室でシェービング中です」

何だそりゃ。俺は電話を切り、腕組みをして待った。どうやらあいつ、徹夜したらしいな。だがしばらく後にかけ直してきた丹羽の声は爽やかそのものだった。

「おはよう。どうしたの」

「よかったら教えてくれないか」

「何を？」

「お前が遠屋敷会長の不正の証拠を入手したがっている理由を。単純な正義感や、恐喝目的なんてのじゃないはずだ」

　短い沈黙。少し迷ったようだった。だが丹羽はすぐにまた口を開いた。

「まあ、あえて言うとしたら後者なんだけどね」

　そうなのか？　とすれば俺も出方を考えなければならなくなる。しかし丹羽が続けて語ったのは、初めて聞かされる事実だった。

「遠屋敷一眞が僕の父親だっていうことはもう知ってた？　つまり僕の母は遠屋敷の内縁の妻ということになる」

　知らなかった。だがその事自体にさほど驚きはない。丹羽が遠屋敷一眞の妾腹の子ならば、俺だって二階堂勝利に恩義がある忠実な手先なのだ。

「お前も色々あったんだな」

「まあね。それと学生時代のことを話さないと。門脇、君は樋村綾乃《ひむらあやの》を憶えてる？」

　それは彼が学生時代に付き合っていた最後の女の名だ。確か近隣の女子大に通っていて、学年は俺達より上だったはずだ。いかにも丹羽の好きそうな、派手で大味な外見に似合わず、たおやかで心優しき年上の女。彼女に出会ってからというもの、丹羽は次々と相手を替えるのをやめ、一つところに落ち着いた。

「彼女、元気なのか。今どこにいるんだ？」

「いや。もうどこにもいない」

　これには言葉を失った。知らなかった。彼女が亡くなったというのか？　俺は自分がまだ若造なのだと思い知らされる。何だかんだ言っても同年代の人間が死んだと聞かされれば、これほどまでに動揺するのだ。

「これは君にも知らせなかったけど、僕らには子供がいた。生まれたのは卒業後間もなくだった」

　なるほど。俺が一人で背水の陣を敷いてテンパってたあの頃、こいつはこいつで気合を入れ直さなければならない人生の一大事に見舞われていたというわけだ。

「子供は女の子でね。茅乃《かやの》というんだ。母親は出産が原因でそのまま亡くなった。僕は茅乃を守り抜く決意を固めた。でも――」

　俺は受話器の向こうの気配を窺った。無理もないことだが、声を詰まらせている。徹夜明けでハイになっているところへ持ってきてこんな身の上話を迫られた丹羽が、急に気の毒になってきた。

「おい、大丈夫か。俺が悪かったよ。今日はもういいから帰って寝ろ」

「そう言わずに聞けって。僕だって冷静な時にこんな話はしにくいんだから」

「――わかった」

こいつは酒を飲んでくだを巻くということができない代わりに、時々妙に饒舌になることがある。

「当時大学を出たばかりだった僕には扶養能力がないと言われて、強引に茅乃を連れ去られてしまったんだ」

「遠屋敷に？」

「そうだ。正妻の子である僕の異母兄には元から子供ができないことがはっきりしていた。そこへ生まれたばかりの茅乃が現れ、義兄夫妻の養子に迎え入れられたというわけ。一方で僕は放逐され、茅乃に会うことさえ禁じられた」

俺は何というか、この時ほど丹羽を身近に感じたことはなかった。たとえ取るに足らない若造であっても、いやそうであるからこそ、己の非力を思い知らされて、それからの十二年を歯噛みする思いで過ごしてきたのだ。くそっ、泣けてきたぞ。

「僕はせいぜい一人前の生活力をつけようとして奔走した。会社を興して自分なりに頑張ったつもりだけど、あんなものじゃ到底遠屋敷の眼鏡にかなわない」

「その子は事実を聞かされているのか？」

「さあね。でももし僕が養父母の立場だったら、色々な事を自分で判断できるような歳になるのを見計らって知らせ、後は本人の意思に任せるだろう。遠屋敷一眞と違って少なくとも義兄夫妻は誠実でまともな人達だから、そう考えるんじゃないだろうか。これまでにも俺が連絡するたび、今はまだ会わせることはできないがせめて、と言って茅乃の写真を送ってくれたりもしたしね。しかし遠屋敷本人は、ことによると一生だって会わせないつもりかも知れない」

俺は喉まで出かかった言葉を呑み込んだ。子供本人がそのことを知らないのなら、そっとしておくのも一つの道ではないかと思い、そう言おうとしたのだが。

「ところが今年になって、茅乃から手紙が届いた――本当のお父さんへ、で始まっていた」

電話の声はまた途切れ始めた。俺は先を促したりはしなかった。

「なあ、丹羽。泣くなよ。子供は幸せそうだったんだろ？」

「――うん、とても幸せそうだった。学校のことや友達のことが書いてあった。本を読むのが好きで、得意科目は理科と図工、苦手は体育の飛び箱なんだそうだ。クラブ活動は天文部、この間の誕生日に天体望遠鏡を買ってもらったって――」

「よかったじゃないか、なあ」

「そうだよ――僕じゃ駄目だった、そんな風にしてやることは――決して――」

「おい――」

俺までが電話の向こうからもらい泣きだ。さっきのアルバイト女子学生は、何て言ったっけ、美咲ちゃんか？　背後でさぞ当惑していることだろう。

「――だからさ、僕は会社を畳んだんだ」

「そうなのか」

「これまでは生活力を得たことを証明して、遠屋敷から正当に茅乃と会う許しを取り付けるつもりだった。だけど茅乃が僕のことを知って、茅乃自身が僕に会いたいと思っているなら話は別だ。遠屋敷が許そうとしないなら、僕にも考えがある」

丹羽が目的は恐喝だと言う意味がわかった。そのような強硬策に出ようとしている理由もだ。彼は娘に会う権利を取り戻すために、遠屋敷の不正の証拠を入手し交換条件とするか、世に公表して養親一族の不的確性を問おうとしているのだ。しかし。

「で、何なんだ。その、不正の証拠ってのは」

「遠屋敷がさる外国の高官に便宜を図った記録だ。そのような事実があるということを、僕が話を聞いた複数の関係者が証言している」

初耳だ。少なくとも俺の知るところではなかった。社内の噂にもない。丹羽は彼なりのネットワークを駆使してそんなネタを摑んでいたのか。二階堂側に教えてやれば涎《よだれ》を流して喜びそうな話だ。

「それがあの研究所内にあるというのはどうしてわかる？」

一瞬の間を置いて丹羽は答えた。

「――僕の母から聞いた」

丹羽の母親は現在、結婚した相手と米国で生活しながら成長した孫に会える日を待っているのだという。

「母によると、研究所の最上階は資料その他の書庫になっているが、首都圏から離れていること、セキュリティが厳重なこと、管理人が個人的に信頼できる人物であることなどから、半ば遠屋敷会長のプライベートな金庫の様相を呈しているらしい」

聞けば最上階だけは遠屋敷の私邸扱いで、顧客も警備担当者も従業員も出入りを禁じられているというのだ。それはまるで鍵のかかった部屋の中の、厳重に封印された文箱さながらに。あらゆる物を手に入れた男は、最新鋭の情報セキュリティで守られ、誰にも立ち入らせないささやかな空間に、悪事の証拠や私的な思い出をひっそりと封じ込めているというのか。悪趣味ではあるが気持ちはわからないでもない。俺は話したこともない遠屋敷という男にうっかり共感しそうになった。

「お袋さんはなぜそのことを知ったんだ？」

「遺言状がそこにしまってあると聞かされたんだと」

なるほど。考えようによっちゃそっちを入手したがる輩《やから》もいるんだろうな。

「――まあ、そんなわけ」

丹羽の声は疲れたようなすっきりしたような響きを帯びていた。

「遠屋敷はお前にとって、どんな親父さんだったんだ」

彼の口調はここへきて急に苦々しいものになる。

「ごく小さな頃を除いてほとんど没交渉で育った。母と二人の生活の経済面は何不自由なかったし、誕生日や祝い事の度に贈り物が届いた。でも遊んでもらった記憶はあまりない。学生の頃までは、一度ゆっくり話してみたいと思っていたけどね」

大して興味なんてない、と言いたそうだったが。丹羽は図らずも本心を暴露していた。人事部の遠屋敷の認証データを自分で取りに行くと言って譲らなかったり、必要最小限でなく全部持ち帰りたがったりしたことによって。

「嫌いじゃなかったんだろ」

「まあ、伝え聞く業績や手腕を少しは誇らしく思ってた。茅乃のことがあるまでは」

彼は愛された子供だった。それは間違いない。しかし今となっては何よりも、彼自身が子を守ろうとする親であるのだ。愛した女を失い、大切な子供をも、遠屋敷のような強大で理不尽な存在に奪われてしまったら、その喪失感たるやいかばかりか。俺は丹羽に同情する一方で、俺自身の境遇との類似や相違を思わずにいられなかった。

「わかったよ。色々訊ねて悪かった、もう帰って寝ろ。中井の所へは俺だけで行ってくるから」

今日は再び中井のマンションへ出向き、侵入後の位置確認の詳細について打ち合わせする予定だったのだ。

「うん――じゃあ、悪いけどそうさせてもらうよ。中井君によろしく」

「ああ、お休み」

「お疲れ」


電話を切って一息つく。これで丹羽が遠屋敷ジュニアだということと、不正の証拠を掴みたがっている本当の理由がわかった。お前はそれを取りに行くがいい。それで俺は。俺はどうするんだ？

俺の方は丹羽に自分の正体と目的をまだ明かしていない。いっそ俺も手の内をすべて明かして丹羽に協力を求めるべきか？　だがそれはどうだろう。あいつの父親に対する反発は、子供を返してくれないという点、ただそれだけに留まるのだろう。不当な扱いに憤《いきどお》ってはいても、遠屋敷の事業の妨害が目的ではないのだ。競合相手を利するようなことにまで積極的に荷担してくれるとは限らない。

彼の生い立ちや父親を明かされてもさほど驚きはしなかったが、そのことは大問題を孕《はら》んでいた。幼い頃の丹羽と俺は、それぞれ競合する二人の経営者の庇護の下に育ち、現在も心情的にはそれぞれの側の人間であるということになるのだ。

それならこのまま丹羽を騙し通すか？

欲しいものは二つある。俺を今の境遇から解放してくれるであろうトライアルの賞金と、今の境遇が俺に求めてきた技術情報と。片方は丹羽が俺への思いやりで受け取らせてくれようとしているのに、もう片方を取りに行くことは丹羽とその父親への裏切りだ。それどころか丹羽が得ようとしている遠屋敷の不正の証拠を二階堂の側が嗅ぎ付ければ、技術情報などより余程欲しがるに違いなかった。

俺はどうすればいいんだ。過去の隠し事はお互い様だったかも知れないが、丹羽がすべてを話してくれ、俺に対して何ら後ろ暗いところがないとわかった今、いよいよ裏切者はこちらだけになってしまったのだ。

両親の死後、家を訪ねて来るようになった恐ろしげな男達に怯え、二階堂に匿《かくま》われてからも他人と距離を置き、別人の名で生きてきた俺は、親友と呼べるような友になかなか恵まれなかった。丹羽と過ごした学生時代の他には、だ。何ものにも替え難い、貴重な時間。あの時だけは、俺を仲間扱いしてくれる育ちのいい友人達に囲まれ、自分もその一員であるかのような錯覚を覚えることができたのだ。そこへ迎え入れてくれた彼をこれ以上裏切りたくない。

一方で自分の不甲斐なさに腹立ちもする。くそっ、俺って奴は、いい歳をして学生時代の思い出なんぞ引きずりやがって。こんなはずじゃなかった。俺は自分が、目的のためならいとも簡単に人を欺くことのできる、冷酷で打算的な人間だとばかり思っていたのに。

13

続く数日間、俺は内心動揺しながらも準備だけは淡々と続けた。立場はどうあれ、トライアルに参加することをやめるつもりはまったくなかったからだ。ただ丹羽の側としてなのか、二階堂の側としてなのかは依然決められずにいる。

いや、違うな――表面上丹羽の側としてであることは、彼に誘われた最初から決まっていたわけだが、その実彼への裏切りはもっと前から決まっていたのだから。俺は学生時代からの長年に渡り、丹羽を欺いていたことに変わりはないのだ。一方で二階堂側の指示を拒絶などできないことも明らかだった。これまでどんな指示にも従ってきた俺が突然抵抗を示せば、当然のことながら不審に思われるだろうから。

しかし——ここまできたら、どうにか腹を括《くく》らざるを得ない。二階堂からの要請は今度もまた呑むしかない。丹羽に対して俺は今度もまた裏切りを重ねるしかない。今となっては彼の境遇と想いをすべて知りながら。そこが心の痛む所以だ。これまではあいつが遠屋敷側の人間だと知らないままだったが、今度はそれと知って欺かなければならないのだ。

そもそも俺はこんな事態を避けたい一心で、別人として生きていく以上はもう友人など持てないと肝に銘じ、大学卒業を控えるとこれで会うこともなくなると覚悟を決めて、誰とも連絡を断ったのではなかったか。失うというより、俺にとっては元々手に入るはずのなかったものだから。そんな風に考えて、ようやく自分を納得させかけていたのではなかったか。

昨日は少しずつ読み進めていたドラッカーの本を図書館に返し、このところサボっていたフィットネスジムの退会手続きを済ませた。そして今日。もう辞表を出したにもかかわらず、俺は元の会社に向かっている。サラリーマン生活に戻ったかのように定刻の電車に乗って。

　別に感傷にとらわれていたわけではない。社会に出てからの俺は学生時代以上に、深い人間関係を持つことは避けていたし、その結果別れ難いと思うほど親しい人間は少なくて済んでいた。いるとすれば加島縁や中井馨くらいのもので、彼らはすでに俺より先に退職している。

　だけど——思いがけず得ることのできたものは、一旦それを大切に感じてしまったが最後、思いのほか手放すのが難しい。典型的なサラリーマン生活にも愛着がないわけじゃなかったから、それも終わりだと思うと毎日の習慣を総ざらえするつもりで行動せずにはいられなかったのだ。

　そうしていつものように電車からホームに吐き出され、いつものように駅の改札を通過した時だった。コーヒーショップへ入って行く、彼女の後ろ姿を見つけたのだ。

ああ、あの冒険小説ファンのＯＬだ。

　俺はこのところ煮詰まっていたせいもあり、少し無鉄砲になっていたのかも知れない。思い切って話しかけてみようと思い立った。考えてみれば駅で丹羽に再会したあの時から、彼女のことは忘れていたことになる。どうせもう会うこともなくなるわけだし、いい景気付けにもなるだろう。ただし気をつけるべきはあくまでも爽やかに、だ。ストーカー紛いと勘違いされては目も当てられないから。あ、でもあんまり違わないとも言うか？

自分でも滑稽だとわかってる。だが俺は、状況に追い詰められて一つ処をぐるぐる廻る思考にはもう飽きあきしていた。何事かを成功に導くべく策を巡らす楽しさを、どうにかして思い出さなければならなかったのだ。

さて、どうする？　俺の頭は目まぐるしく動き始める。彼女の服装はこのところの秋の深まりに相応しいものになっている。ピンヒールのブーツ、芥子《からし》色のニットには細く毛皮の縁取りがついていて、艶のある長い髪はいつもながらに高嶺の花然と巻き上げられていた。左隣のスツールには小ぶりのクロコ革ボストンバッグを置いている。これまたいい趣味だ。店内はお誂え向きに込み合ってきた。

俺はカウンターで今朝のブレンドを調達すると、ソーサー片手に彼女の左後方からアプローチする。そしてできるだけさりげなく声をかける。朝日のように爽やかに。

「すみません、お隣いいですか？」

「あ、どうぞ」

初めて聞く声は予想したよりも甘く、彼女はすぐに荷物をどけてくれた。俺は左隣に座りながら手元の本に視線を走らせ、次の一言を発しようとした。いつも長編小説を読まれてますね、とか何とかだ。だがちょっとした異変を感じ取り、計画の進行をストップする。

彼女の手元に広げられていたのはいつものようなビニールカバーのペーパーバックスではなく、大判の雑誌だった。そしてその見開きページには教会や芝生を背景に、ウェディングドレスを着たモデルの写真が何点も載っている。今朝の彼女が熱心に見入っているのはそれだった。ああそうなのか、結婚するのか。だとすれば彼女の生涯でもおそらく今は、ナンパされるのに最悪のタイミングであるに違いない。

やれやれ、それじゃあ仕方ないよな。俺はあっさり引き下がることにする。平凡な男は大人しく平凡なコーヒーを飲み終わり、平凡な鞄を摑んで平凡なサラリーマン生活の幕を引きに行くために立ち上がった。

駅からの階段を下りながら思う。一瞬で遠ざかってしまった、閃光の人生。しかしまあ、これでいい。今の冒険は一種の起爆剤になり得た。この高揚感さえ戻って来れば、それでいいのだ。いつの間にか考え込むばかりで、自分で自分を持て余していた。あらゆることはなるようになるだろう、憑き物が落ちたように、そう思えるようになっていた。結果が伴うかどうかはまた別の話なのだが。

くそっ、かくなる上は、やるしかないんだろうな。

久しぶりの我が社の入口では見憶えのある警備員に挨拶しながらＩＤカードを見せて通る。こんなものはごく形式的なチェックだ。

次に定時出社のサラリーマンを満載したエレベーターが各フロアに着くと、そこで初めて基本的なＩＤチェックが行われる。すなわち写真と門脇雄介という名前の入ったＩＤカードの磁気テープ部分をスリットに通すことで、読み込まれた個人データはサーバーの社員データと照合され、事務所のドアが開く。しかしこれだって、ドアが開いているうちに他の社員の後について入ることにより回避できてしまう種類のチェックに過ぎない。

むしろこの場合最も厳しくかつ回避不可能なのは、フロア内外で異端者を見咎める身内の視線である。例えば総務部のように閉鎖的でプロパーの比率が高い組織に、見慣れない人間が紛れ込んでいようものならすぐにわかる。例えば俺の席に座っている若い奴のように。

「……どうも」

「あ、おはようございます」

俺の曖昧な声に、そいつは元気良く挨拶して立ち上がった。さては新入社員か？

この時期に中途採用か？

「あ、門脇さん」

デスクの反対側でメールチェックをしていた派遣の女子社員が振り返った。

「彼、入社希望のインターンなんです。申し訳ありません、空きがなかったので取りあえず門脇さんの机に座ってもらってたんですよ」

新入社員どころか、それ以前の学生だったのか。俺はそこからちょっとしたアイデアを得る。最近じゃこういう企業内侵入もありだな。採用前とあって人事のチェックも甘くなりがちだし、不審な行動があったとしても見る側の性善説に支配されて追求されにくい。今後のために憶えておくとしよう。

「ああ、俺ならいいよ。今日は挨拶と片付けに来ただけだから。キャビネットの私物さえ出せたら、後は会議卓で充分だ」

「あ、いえ、僕がそっちへ移ります」

事情を察したインターンは気を利かせる。もちろんそう言わせるための台詞だった。

「そう？　悪いね」

そそくさと移動する彼に一瞥をくれて、派遣社員はメールチェックに戻った。俺は着ていた上着を脱ぐと適当に丸めてその辺に置き、鞄から会社支給のノートパソコンを出して回線に繋ぐ。今日退社する際には社外秘含むデータ入りのこのパソコンは返却しなければならないが、当然ながらこっそりバックアップはとってある。

久しぶりに見る社内ポータル。俺はサーバーに溜まっていたメールをチェックし、必要なものを後任の部員に転送する。

それが済むと、業務上やることはもういくらもなかった。部長がいたら神妙に御挨拶でもと思っていたのだが。ホワイトボードの予定は今朝は《自宅〜グループ本社》と書かれている。見れば課長以下数名の予定は部長と同じで、俺は今日が月例のミレニアム・グループの役員総会なのだと気付く。その日は総務の連中が皆準備に駆り出されることになっているのだ。道理で閑散としているはずだ。

これはいいぞ。帰り際にやろうとしていることにとって実に好都合である。俺はその布石を打つため会議卓のインターンに声をかけた。彼は子犬のように飛んで来る。

「さし当たってやることがなければ、ちょっと手伝ってくれないか？」

俺はそいつを連れて応接ブース脇へ回った。そこには壁一面の大型マガジンラックのような開架棚があり、新製品のパンフレットや当社の記事が掲載された技術雑誌が並べられている。二人でそこを整頓するふりをしながら、俺は扉付き棚の奥の箱からある資料を一冊取り、手前の開架棚に移動した。端から見れば主任が雑用を片付けながらインターンの面倒を見ている図だ。俺が長年培ってきた誠実でいい人のイメージをフルに発揮し、帰り際に素早く摑んで行きやすいよう配置したその資料とは何か。本来ならプレスや顧客に先駆けて社内技術部門に配られ、《INTERNAL USE ONLY》《社外秘》の判を押して管理される、当社の最新技術月報だった。今月号のそれは印刷所から上がって来たばかりで、その判も押されておらず、部数も確認されていない。

片付けが終わると自販機コーナーでインターンにコーヒーを奢ってやって、お互い贔屓《ひいき》のサッカーチームはどこかという話題で盛り上がった。私物を片付け終わったデスクを彼に空け渡してやってからは会議卓で新聞を読みながら、のんびりと部長他の戻りを待つ。くれぐれも、挨拶もせず黙って帰るような真似をしてはならない。後ろ暗いことをする時ほど、堂々と振舞うべきなのだ。和歌山の地主の娘と見合結婚し、退職後は山林の管理人をして暮らすことになっている、優雅な逆玉男を演じるのならなおさらだった。

14

俺が職場から持ち帰った技術月報を見せると、そこに書かれた新製品情報を丹羽は食い入るように見つめてから言った。

「えええ、これって本当？　現実に製品化されてるの？」

俺はそれに加えて分厚い紙の束も渡してやる。

「されてるとも。で、こっちは操作マニュアル。試作品のだけどほぼ同じ」

「すごい。こんなのよく手に入ったねえ」

ええい、もってけ泥棒。こういう資料は早々に二階堂側に流してやってもいいわけだが。ひとまずは俺達が優勝するためだけに使わせてもらうことにする。流してやるのは無事帰還してからでも遅くはない。大丈夫、俺はもうふっ切れている。

「前にあの研究所の連中が首都圏へ出張デモにやって来た際、パソコンの調子が悪くなったことがあった。俺のを貸してやったら、あいつらソフトからマニュアルから説明書類一切合財をインストールして、消さずに帰りやがったんだ」

「ていうか、君がそう仕向けたんじゃないの？」

「まあな」

さすがブランクはあれ長年の付き合い、丹羽は俺という人間をよくわかっている。

「どうだ、画期的な新製品だろ。案内機能、警備機能の他に簡単な災害救助機能も」

「掃除とかは？」

「あ？　ええと、それはできないんじゃないかな」

何なんだよその質問は。丹羽はちらりとアルバイトの美咲ちゃんの方を見て言った。

「いや、うちにも一台どうかな、と思ったんだ」

彼女は一九三〇年代から現在に至るまであらゆる映画や風刺画の中で連綿と、暇な女子事務員がその象徴として行ってきた作業、ネイルケアに余念がなかった。

「やめとけ。すぐに安くなるから」

それにこの新製品がコーヒーを入れてくれないことはマニュアルからもはっきりしている。たとえ粉に湯を注ぐタイプの簡易方式であってもだ。

「うーん、すごい秘密兵器だねえ。指先静脈認証どころじゃないよ」

「そりゃまあ、正面からまともにかかればの話だよ」

丹羽は驚いたように顔を上げた。

「いい方法が？」

「上手くいくかどうか、考えていることはある」

少しばかり準備が必要だった。それにはまずホームセンターへ行かないとな。

第二章　競合〈Competitors〉

15

最初の仕事では、自分の役目はせいぜい見張りくらいだと聞かされていた。破風崎《はふざき》も棟安《むねやす》も新米の頃はそうだったのだという。透《とおる》はそれでも最初から最後まで緊張の連続だった。自分が原因でなかったとしても、あんな番狂わせがあってはなおさらだ。

有明の国際展示場で催されている国際ジュエリー・フェアでは、英国王室ゆかりの宝飾品だの、コロンビアで掘り出されたばかりのエメラルドの原石だのといったブースが連日一般の人気を博していたが、破風崎が目をつけたのはそんなものではなかった。もっと流通経路が整備されていて換金しやすく、没個性ではあるが確実に高額で取り引きできる規格品。例えばアフリカのダイヤモンド生産者組合が出品している等級毎の裸石群のような。狙いを定めたそのブースには、様々なクラスのダイヤが数個から数十個ずつ博物館の展示よろしく並べられ、価格も量も手頃なのだった。

「とはいえ、現場入りしたらしたで色々目移りしちまいそうだよな」

打ち合わせの時に棟安は陽気に笑った。この男は時々場違いなことを言う。決して考え無しなのではなく、仲間が緊張し過ぎたり逆に緩み過ぎたりした時に、ちょっとした一言で雰囲気を変えるのだ。その意味では計画の全体に実によく気を配っていた。

「やめておけ。処分できないものは盗っても意味がない」

引き換え破風崎の言葉には無駄も容赦もない。事前調査や下見には嫌というほど時間をかけ、あらゆる事態を想定して練り上げるくせに、その計画は極めてシンプルで余計な色気の入り込む隙などないのが常だった。だからこそ成功するのだとも言えた。

棟安は肩をすくめて透に話を振る。

「だとよ。お前も彼女へのプレゼントを調達しようなんて気を起こすんじゃないぞ」

「いないよ、そんなの」

透は仏頂面で答えながら思った。家出人の身では彼女どころか身内に連絡をつけることすらできないことを、あんた達もよく知ってるくせに。思えば家出と補導を繰り返してはいても、帰る家や知った顔のいる学校のあった頃が懐かしかった。だがもうあそこには帰れない。帰るつもりもない。

細身で色白なだけでなく顔立ちも整っていた透は、十代になる前から大人や同世代からの性的な視線に曝されてきた。中学生の頃にはクラスメイトからの度重なる嫌がらせに一時不登校となるが、体面を重んじる親はそれを長くは許さなかった。転校先の全寮制の学校で同様の事態が起こった時、透は初めての逃亡を試みる。連れ戻され監視される中で繰り返した逃亡と潜伏は、回を重ねる度により巧妙に、長期に及ぶようになった。

透が破風崎と棟安に出会ったのは、そうやって身を隠している時だ。

都心の公園などには必ずと言っていいほど、そこを住処《すみか》とするホームレスがいる。透はそんな場所を避け、もっと人気のない所に潜むのが常だった。郊外の廃工場に身を隠していたある晩、乗り入れて来る車の音とライトで目が覚めた。物蔭から覗き見たのはベンツ数台と黒塗りの高級車。降り立ったいかにもヤクザ風の男達と、いくらかまともそうな地味な背広の男達が、取引をする一部始終。そして。

目出し帽と黒装束に身を固め乱入した二人の男が、手にした拳銃で全員を身動きできなくして、金の詰まった鞄だけを鮮やかに奪うクライマックス。まるで映画の一場面のように。映画と違ったのは男達が逃げる際、透の隠れていた物蔭に踏み込んで来たことだった。背の高い方がちょうど目出し帽を脱いだ瞬間に目が合ってしまう。

「わっ、何だこいつ」

もう一人は透に拳銃を突き付ける。

「殺されるか、一緒に来るか、今決めろ」

「――一緒に行く」

透はそう答えないわけにいかなかった。

その短いやり取りで人質になった透はその後、男達の助けを借りて閉塞した状況から逃げ切ることを考えるようになる。以来、彼らと寝食を共にし、一緒に方々を移動しながら、見習いとして仕事を手伝う毎日だ。

破風崎仁《じん》と、棟安甚市《じんいち》。それが本名なのかどうかは知らない。この男達は常習的に盗みを行い、それを生業《なりわい》としていた。透は彼らから、周到に準備された計画的犯罪がまんまと成功する場面をいくつも見せつけられた。忍び込んでの窃盗だけでなく、時にはホールドアップによる奪取や、輸送車を待ち伏せての急襲もあった。しかし綿密な計画と段取りの甲斐あって、少なくとも透が知る限りでは、仲間が死んだり人の命を奪ったりという目には遭わずに済んでいる。

破風崎は痩せぎすで若白髪の、諦観に満ちた表情の男だ。まるでこの世に生まれてきたことをずっと後悔しているとでも言いたそうな顔つきで、冗談の一つさえ口にすることはない。たまに笑うことがあっても顔をしかめているようにしか見えず、その哀し気な様子は日々生徒に手を焼かされているくたびれた教師のようでもあった。だが恐ろしく頭が切れ、物事の二手も三手も先を読む。

対して長身の棟安は快活で大らかで、日焼けした襟足にかかるように髪を伸ばした遊び人めいた風貌が、いかにも女好きのしそうな二枚目半だ。これがどうして知り合ってみれば外見以上に面倒見が良く、情に厚く心配りも細やかで、女達からはより一層惚れられてしまうという所以である。

歳の頃は四十過ぎと三十位と聞いていたが、老獪な破風崎とノリの若い棟安は、時に親子のように見えることさえあった。透はまだ十八歳になったばかりだったが、十年、二十年後に自分が彼らのようになっているだろうかと想像することがあり、そうなれていたらいいとも思った。

透は雑用や使い走りの合間に職業的犯罪者としての技術、逃走時の運転や拳銃の扱い、不意打ちで相手を倒す技やピッキングの基本などを教え込まれた。人目を欺くために女の格好をするようなこともあったが、必要に迫られてであれば抵抗は感じなかった。緊張感に満ちた生活は不思議と居心地が良かった。体面を気にしてばかりの親や、やる気のない教師と違い、彼らが自分を見込んで根気よく教え、叱り、誉め、プレッシャーをかけつつ注意深く様子を見守ってくれているのがわかったからだ。透はこの男達の仲間になってから、自分が出来の良い子供になったような気がしていた。

そうして初舞台の日がやってくる。

元々広大な東京国際展示場のスペースをすべて使うイベントはデータショウなどをはじめとして数えるほどしかなく、この国際ジュエリー・フェアもわずかに東側の二つの棟を占めているばかりだ。通路を隔てた西側の三つの棟は会期の重なる別の展示会に使われているようだった。

ただし展示品が高価な宝石とあって、他のイベントよりも警備は厳重だ。毎日の閉場時刻を過ぎると出展元スタッフを含めたすべての人間が会場から締め出され、中に入ることができるのは警備員のみとなる。一時間と置かずに定期巡回が行われ、それも会場と契約している帝都警備保障だけでなく、出展企業と個別に契約している各社入り乱れてのシフトだったから、常に広い会場のどこかしらに警備員がいるという状況だった。

この仕事では三人の他に簾並《すなみ》という男が案内役を務めることになっていた。簾並は出展側の一つでもある宝石卸売業者の元社員で、金のかかった派手な成りをしている割に、どこかおどおどと自信のなさそうな三十過ぎの男だ。そういう態度の人間はこの仕事では信用されないのではないかと、透は思った。他のどんな仕事でもそうかも知れないが。

破風崎はどの警備会社のものとも異なる制服を人数分用意した。見咎められた場合にただちに名簿と照会されてしまわないためには、実在しないものの方がいいという判断からだ。一方IDカードは簾並から横流しさせた本物を真似て精巧に作り込んである。深緑色の警備員の制服を着込んだ四人はワンボックスカーに乗り、深夜過ぎに展示場の搬出入口から内部へと進んだ。所定のチェックを受けはしたが、極めて自然に、スムーズに誘導されたことがIDカードの出来を物語っていた。

「こんな夜遅くだってのに、結構明るいな」

棟安が気の抜けたような感想を漏らす。これも警備のためだろう、人影のないだだっ広い展示場は遥か高所のハロゲンランプに煌々と照らされ、隅々までの見通しを確保されている。照明の背景となっている天井は構造材や配管が剝《む》き出しで、高校の体育館みたいだと透は思った。

と、目の端に動くものを感じる。紺色の制服の警備員だ。破風崎が簾並に訊ねる。

「あれは帝都だな?」

会場全体を担当している帝都警備保障の警備員だろうと言っているのだ。

「そうだ。生産者組合の契約先とは違う」

予想通りの答えに頷いて、破風崎は皆に指示した。

「散れ」

打ち合わせ通り二人ずつに分かれて目的のブースへ向かう。破風崎と簾並は会場警備員に声をかけて歩み寄って行った。棟安と透は一旦身を隠し、迂回して別方向から現われる手筈になっている。今夜の展示時間終了後、クライアントであるダイヤモンド生産者組合へかかってきた強迫電話をきっかけにして、専属契約先である自分達の警備会社に特別点検の依頼があったというストーリーだ。このでっち上げを上手く信じ込ませることができたらしく、破風崎達が向き合った警備員と敬礼して別れるのが遠目に見えた。

「行くぞ、透」

棟安に急き立てられて物影から通路へ出る。他の警備員とすれ違う際には彼らも敬礼を交わす。向こうからは自分達が非常呼集に応じて三々五々ブースへ向かうように見えるだろう。到着すると破風崎達はもう作業に取りかかっていた。宝石店を模した内装のブースは三方を壁で囲まれた四、五坪ほどのコーナーで、ショーケースは展示時間終了後に被せられたと思われる白い布でほとんど隠れていた。破風崎の手元の一角だけを除いて。

「透、位置についてろ」

「わかった」

指示されるまま、他の三人に背を向けて通路の見張りにつく。皆が囲んでいる布の取り払われたショーケースの中には、このブースでも最も質のいいダイヤモンドの裸石が納まっているはずだった。少しは覗き込んでみたい気がしないでもなかったが。自分の目にはどうせどれも同じに見えるだろうとわかっていたし、後でじっくり拝ませてもらえれば充分だと思い直した。

作業する気配を背中に感じながら透が通路を見張っている間、さっきの男と同じ制服の会場側警備員を二度見かける。うち一人は近くまで寄って来たが、すでに破風崎の説明が通達として回ったらしく、透の敬礼に御苦労様です、と声さえかけて通り過ぎて行った。中で工具箱を広げて行われていることが、ショーケースの点検でなく破壊だなどとは疑ってみる気もないらしい。お互いの職分を心得ていると言えば聞こえがいいが、要は他人事だと高を括っているのだろう。それこそが命取りなのに。

「よし、開いたな。袋を出せ」

「はいよ」

破風崎の声に続き棟安の返事が聞こえる。振り返るようなことはしないが、強化ガラスでできているショーケースの周囲をそのままに、台座を下から取り外すのに成功したのだということは、透も事前の打ち合わせでわかっていた。後は下に広げた布袋に中身を洗いざらい受け止めて、台座をはめ込んでから元通り布を被せておけば、明日の朝まで気に留める者はいない。単純といえば単純な作業だった。巡回する警備員の目を盗むことさえできたならば、建物自体の警備や、二十四時間監視カメラや、接触感知センサーなどの装備がない分、通常の宝石店よりも遥かに攻略しやすい。にわか造りで見てくれだけの、展示ブースならではのメリットだった。

「――何だってこんな柄の袋にしたんだよ」

簾並がどうでもいい事を訊ねている。透が気になって振り返ると、派手な青の縞模様が目に入った。

「こいつに枕カバーなんだ。ちょうどいい大きさの布袋だったんでね」

「新品だろうな？」

「大丈夫」

こんな物でさえ万一押収された事態を考え気を回す破風崎と、根っからとぼけた棟安のやり取りは、透にとっては相変わらずだが、簾並はさぞ呆れていることだろう。袋と工具を鞄にしまい、それぞれ簾並と棟安が持って、さもブース内の点検を終えたような顔をし、またも警備員とすれ違ったりしながら、一同はぞろぞろと引き上げる。駐車場への出口まで来たところで、異変は起こった。

突然、簾並が走り出したのだ。

あいつ、何考えてるんだ、車に乗り込むまでは目を惹く動きは厳禁なのに。ほら見ろ、館内通路へ出たところでいきなり警備員と鉢合わせしてしまったじゃないか。それもさっき言いくるめたのとは別人だ。

後の三人は慌てて駆け寄ろうとした。しかしその必要はなかったのだ。会場側の警備委託先、帝都警備保障の制服を着た相手の男は、簾並とすれ違いざま引き留めようとするのかと思いきや、脇を走り抜けて行く簾並を見送り、懐から黒い塊を抜く。

「伏せろ、透！」

何が起こったのかわからないまま、横方向に突き飛ばされた。そのまま姿勢を低くし男の両膝目がけて突進する棟安を見ながら、透は肩から床に倒れ込む。銃声。また銃声。男が撃った一発目は棟安のタックルで狙いが狂い、大きく外れて背後の柱に穴を穿った。破風崎の応戦した二発目が鎖骨近くに当たり、男は呻き声を上げてその場に倒れる。棟安は負傷した相手を組み伏せ、なお容赦なく一発殴り付けて、ぐったりした男の手から拳銃をもぎ取った。

「物騒なモン装備しやがって」

帝都警備保障の制服を来たその男は、つまり簾並とグルだったのだろう。敵と同じく懐に拳銃を隠し持っていた破風崎は、それを元通り納めながら透に命じる。

「走れ！　簾並を追いかけるんだ」

そうだった。返事もそこそこに透は立ち上がる。幸い見通しの利く館内通路とあって、遠ざかりつつある簾並の後ろ姿はまだ見えるところにあった。四人の中で一番足の早い透は猛ダッシュで簾並に迫ってゆく。その頃には銃声を聞きつけた会場内の他の警備員が何人か集まって来た。最初は走っている二人を追いかけようとしたが。

「怪我人をお願いします！」

破風崎の声に彼らは一斉に振り返り、倒れている男に注意を向けた。見れば追跡している警備員と負傷している警備員の制服は別物で、自分達と同じなのは後の方だ。彼らの頭の中には瞬時に身内意識が閃いたことだろう。実にサラリーマン的なる反応。

棟安は何食わぬ顔で奪った拳銃を懐に隠し、破風崎は駆け寄って来た警備員達に短く敬礼し、彼らと入れ替わりに二人を追う。

「あいつ、一体どういうつもりだ」

「絶対に逃がすな」

一方透は今にも簾並に追い付きそうになっていた。衿首を摑もうと伸ばした透の手をすんでのところでかわし、進路を変えた簾並は通路の反対側の棟に走り込む。透もすぐ後について入ったその入口には《ビジネスロボットEXPO》の横断幕が掲げてあった。ジュエリー・フェアと違ってこちらの会場の警備方針は神経質なものではない。夜通し明かりを点けてあるわけでもなく、入口に警備員が立哨しているわけでもなく。立入禁止の札がかけられてはいるが、ただの仕切でしかないロープを無造作に跨《また》げば、暗い会場内に潜むことも簡単にできそうだった。

棟安は破風崎の指示で前方の出入口へ回る。簾並と透がまたすぐ通路に出て来ないとも限らなかったし、出て来なければ来なかったで、中で挟み打ちにしやすいだろうという読みだ。開け放たれた出入口から差し込む光で、付近の様子は難なくわかった。目が慣れるのを待つまでもなくそのまま動き出せる。それでも広い会場の奥の方は深い闇に沈み、そこにある物の輪郭しか摑めなかった。拳銃を構えてゆっくりと歩を進める破風崎の姿を視界の隅に納めつつ、自分もさっき奪った拳銃を抜く。

ふいに何者かがそこで動いた。

「動くな」

人影はぴたりと静止する。

「俺だ、甚さん」

透は破風崎のことは姓で、棟安のことは名前で呼ぶ。仁も甚市もジンさんだから紛らわしい、との弁だったが、破風崎に心理的な距離を置いていることは棟安の目からも明らかだった。

「簾並はどこにいる？」

答えるまでに間があった。潜んでいる簾並に聞かれることを避けようとしているのか、逃がしたことを悔やんでいるだけか。たぶん後者だが、用心に越したことはない。

「……ごめん、見失った。でもまだ中にいることは確かだ」

だろうな。この棟の建物外側に面した出入口は閉じたままだし、内部通路への二つの出入口を使って破風崎と棟安が入って来たのだから。そちらへ近付こうとすれば通路からの明かりに照らされるから気付かれずには済まないはずだ。

奥へ踏み出した棟安の足に不意に何かが当たる。あまり大きさも重さもなかったその物体はだから、床の上を一メートルばかり蹴り飛ばされてしまう形になった。

「何だこりゃ――奴のバッグだな」

透も頷く。それは簾並の持って逃げたボストンバッグで、ファスナーが半分くらい開いていた。

「俺が周りを見てるから、手探りで中を検めろ。宝石の詰まった布袋らしき感触があるか？」

透に命じて、あまり期待せずに棟安は待つ。

「——ない」

だろうな。簾並は今もこの闇の中に身を潜め、逃げ出すチャンスを窺っているのだろう。ダイヤモンドのぎっしり詰まった枕カバーを後生大事に抱え込んで。

「こっちにはいない」

拳銃を構えたまま、破風崎が歩み寄って来た。

「どうする、引き上げるか？」

棟安が内部通路の様子を気にしながら訊ねる。ここへもじきに会場側警備員がやって来るのを警戒しているのだ。どこへ隠れたかもわからない簾並との持久戦は許されない。たとえ宝石を諦めてでも、のっぴきならない破目に陥る前に三人だけで逃げ出すかどうかを判断する時が来ていた。その時。

「いた！」

透が指差した方に、二人も顔を向ける。奥の最も暗い場所、建物外部への扉から僅かの隙間を通して外の星明かりが見えていた。その幅が広がって、また閉じる。

「棟安、奪った銃を足元に置いて追え。簾並を摑まえて、意識を失うまで殴り付けろ」

物騒な指示を出すと破風崎は内部通路へ引き返す。

「透、二つともお前が持ってろ」

棟安の方は空のバッグを拾って自分が提げていた工具と一緒に透に押し付けたかと思うと、指示通り奪った銃をその場に捨て置き、簾並が逃げた外部出口方向へ全力で走り出した。

透は迷った末、棟安の後を追うことにした。荷物のせいでさっきまでのように速くは走れないが、追いかけながらこの先の展開を考える。破風崎は少しの間留まり、会場側の警備員にまたもっともらしい作り話をするのだろう。拳銃が落ちているとでも言って注意を引きつけるつもりか。後で警察が調べればあの男を撃ったのは別の銃の弾だと見破られるだろうが、逃げるための時間稼ぎにはなる。簾並を捕まえたら気絶するまで殴るのも、連れて逃げやすくするためなのだ。

とすると、この場合の自分の役目は逃げ足の段取りをすることか。そう考えて透は、来た時に車を停めた駐車場へ進路を取った。

「お前にしちゃ、上出来だよ」

隠れ家にしているマンションへ戻ると、棟安は透の初仕事をそう評価してくれた。簾並を殴り倒した棟安の元へタイミング良く車を回し、誰にも見咎められることなく四人で現場を後にすることができたからだ。

「これで戦利品が手元にありゃあな」

透もそう思う。だがそれについては別に自分がヘマをしたせいではない。誰の不手際のせいでもなく、ひとえに簾並の裏切りのせいなのだ。棟安が捕まえた時、彼はすでに宝石を持っていなかった。逃げる途中でどこかに隠したとしか考えられなかったが、具体的な隠し場所を吐きもしなかった。連れ帰ってからいくら痛めつけようとも。

「ビジネスロボットＥＸＰＯの会場案内図を手に入れた」

彼らが忍び込んだ翌日すぐから破風崎は淡々と調査を進め、ジュエリー・フェアに警察の現場検証が入る脇をすり抜けてまでも、通路を隔てた会場の展示を見に行く算段をしていた。無論ダイヤはそこに隠されていると踏んでいるのだ。

「会期はもう数日しかない。探しに行くなら今のうちだ」

破風崎はまた、仮設のブースが会期の終了と共に撤去される際、簾並の隠したダイヤモンドが発見されることを恐れている。もう見つかってしまった可能性も否定はできないが、少なくとも報道はされていない。マスコミが報じているのは南ア生産者組合のブースに警備員を装った数名の泥棒が入り、およそ五億円相当のダイヤモンドを盗んで、会場側の警備員を拳銃で撃って逃走したこと、まだそれだけだった。簾並とグルだった男も今のところただの被害者扱いだ。

「鞄が落ちていたのはどの辺りだった？」

会場案内図を広げた破風崎は透と棟安の顔を見て問う。棟安は首を振った。

「俺が会場に入ったのはあんたより後だったじゃないか」

「わかってる。お前は鞄の場所を言え。透は簾並を見失った場所だ」

折り畳まれたパンフレットは広げると新聞片面ほどの大きさになる。企業広告を除く大部分が会場内の展示マップになっていた。

「見失ったのは、この辺だったと思う」

「間違いないか。なぜそう思うか言ってみろ」

「奥へ向かう通路がT字型になっていて、突き当たりのブースが大きかった。他のブースの幅の倍くらい」

会場内でそのような場所は他にない。この答えは破風崎を満足させた。透が指差した先、T字の交差点に印をつける。付近のブースの出展企業は右手が明和電機ロボテクノロジー、左手がセキュア・ミレニアム、突き当たりはオムニ＆サイバーダイン・ジャパンだった。

「バッグが落ちてたのもこの近くだ。ただもっと手前だったような気がする。最初透に狙いをつけて立ち止まったのがここ、O&Cジャパンより手前。そこから二、三歩進んで躓《つまず》いた」

破風崎はそこにも印をつける。

「これから現場を見に行く。透、お前はついて来い。ダイヤを隠せそうなものに目星をつける」

「だけどさ、俺はダイヤの一つ一つがどんな見た目で、それを入れた袋がどのくらいの大きさなのかを知らないんだ」

頷いて説明しようとした破風崎より先に、棟安があっさり口にした。

「見せてやろう」

ジーンズの尻ポケットから取り出し、無造作に透に渡したのは、透明な二センチ角の正方形だった。小さなプラスティック片の付いた無色透明の塩化ビニールで両側から挟むようにパウチされた中に納まっているのは、小指の爪ほどのダイヤモンド。

「まあ、早く言えばこんなんだ」

「――お前、まさか」

破風崎の顔色が変わるより先に棟安は慌てて手を振った。

「おっと、弁解させてくれ。決してみんなで山分けする中からくすねたわけじゃない」

「どういうことだ」

「今回のターゲットは三カラット以上の最高級品だけだったろ？　この小さいやつは残していくクズの山から拾ったんだ」

それは真実なのかも知れないが、ショーケースの中身がどのようであったかを知らない透にとっては、それでも充分大きい石に思えた。

「だからといって許されるわけじゃない」

破風崎は表情を緩めない。

「悪かった、謝るよ」

「なぜこんなことをした」

棟安はひどくバツが悪そうに答えた。

「ああ、ちょっと、彼女に土産をと思ってね」

透は呆れるしかなかった。俺にあんなことを言っておきながら何のことはない、女にいいとこ見せようと妙なことをしてるのは自分じゃないか！

「まったくお前という奴は——ああ、もういい」

破風崎は溜息をついて頭を振った。こと女の問題に関しちゃ棟安に何を言っても無駄だと、これまでの経験から骨身に染みてわかっているのだ。気を取り直して透に言い聞かせる。

「簾並が持って逃げたのはこういう小さな包みがたくさん入った青い布袋だ。パウチされているせいで嵩ばって、袋全体の体積はサッカーボールくらいある」

「思うんだけどさ、何で一つずつこんなもんに入ってるんだ？」

「ICタグという、その小さなチップを取り付けるためだ。それ一個に数万文字に渡る情報が記録可能で、宝石の場合は鑑定書や産地、加工業者や取扱業者についての記録が丸ごと入る。バーコードなどと違って読み取りに電波を使うから、厳重に梱包されたままでも検品などの作業が行える。今回の生産者組合の展示は、ダイヤそのものというよりこの技術を使った品質管理の方が主体だ」

透はイメージしようとして手のひらに載っている宝石をまじまじと見つめた。一個ずつビニールパウチされタグを付けられた宝石などというものは、未来的だが何とも奇妙な眺めだ。どちらかというとそのせいで安っぽくさえ見えてしまう。だが破風崎によれば、上海の買い手グループはこのタグがついたままで引き取りたがっているという。品質保証の裏付けになるからということらしいのだ。

「こんなものに入ったままだと、足がつくとか考えないのかね？」

「お前が言うな」

破風崎に一喝され、肩をすくめて棟安は引き下がる。

「わかったよ。俺は簾並のお守りをしてるから、二人で見て来いよ」

破風崎と透は人出が増える午後からを選び、電車を乗り継いで国際展示場へ向かった。事件からまだ一日余りしか経っていないのに、現場となったジュエリー・フェアの会場さえ、盗難に遭ったブースや発砲現場などの一部を立入禁止にするのみで、その他の部分は平常通りの展示を行っている。ましてや向かいのビジネスロボットEXPOでは、拳銃が捨てられていた場所や犯人が逃走した出口の周りを囲うこともせず、何事もなかったかのようである。

二人は眼鏡やキャップで軽く顔を隠してその辺を見て回った。この会場の目玉は宇宙空間で実際に使用された建設作業ロボットで、大手重工業系メーカーが大きな展示スペースを組んでいたが、その印象は人型というよりマニピュレーターの集合体だった。逃げ込んだ簾並が隠れた一角は対人作業用ロボットのコーナーである。T字の交差点を囲む企業の展示も、O&Cジャパンが介護ロボット、明和電機ロボテクノロジーがアミューズメントアンドロイド、セキュア・ミレニアムが警備機器制御付移動案内端末といった内容だ。中でも音や動きの楽しげな黄色いアミューズメントアンドロイドが子供連れの人気を集めている。

「なんかさ、無理だよ」

透が音を上げると破風崎はなぜだ、というように無言で片眉を上げる。眼鏡をかけた顔つきは気難しい大学教授のようだ。

「その気になればサッカーボール分の体積の隠し場所なんていくらでもあるじゃないか。昼間と夜の様子も全然違うし」

「当然、それも込みで考える。展示スペースの舞台裏、物置みたいになってるところも、スタッフの出入りや何かきっかけを摑んで見るんだ」

そんなの都合良く見えるかよ、と透は思った。

「簾並になったつもりで考えろ。あいつにしたって俺達に追われるのは想定外だったはずだ。隣の展示場に潜り込んだはいいが、虎の子のダイヤをどこへ隠すか。夜間と日中で様子が変わることも考え、出展企業の人間があまり見ようとしない場所を必死で考えたに違いない」

言われた通りにしてみる。あの時、薄明かりでようやく見えたこの近辺の様子はどうだったか。介護ロボットは夜間はカバーをかけてあった。一方であのアミューズメントアンドロイドなどは夜間もそのままの状態だったので、暗がりの中で出くわした異形の人影に、透は肝を冷やしたものだ。

一方で、警備機器のコントローラーが設置してある左手のブースは、やけに広々とし過ぎてはいないか？　あの晩は他にもっと何かがあったような気がする。確か台車に載った、運送会社が精密機器を運ぶ時に使う大型の箱。灰色の板状のプラスティックに折り目が加工してあって、段ボール箱のように簡単に扱え、しかも丈夫で繰り返し使えるやつだ。それの縦型の、子供なら楽に入れるようなサイズのが、ここにあったはずなのに。今は見当たらない。透はそのことを破風崎に話した。

「お前が言うように、セキュア・ミレニアムのスペースには余裕があり過ぎるし、展示内容も他に比べて随分地味だ。あそこに何か、例えば隣のみたいな人間型のロボットでも置いてあったとしたら頷けるんだが」

破風崎は同意とともに非常な興味を示す。

「お前はその箱に何が入っていたと思う？」

「よくわからないけど、《返却》と書いた紙が貼り付けてあったのは憶えてる」

「何だと——ことによると——そいつは経産相訪問時用の特別展示か？」

透は面食らった。どうしてそんな推測が成り立つのかさっぱりわからない。だが破風崎によると、侵入した日の午後にはこの展示会へ経済産業大臣の訪問が予定されていたのだという。指定された各社は訪問とそれに伴うマスコミ取材に備えて、相応の準備をしていたことだろう。

「ところが大雪による航空便欠航で外遊先のカナダからの帰国が大幅に遅れ、大臣訪問は中止になってしまった。企業によっては特別展示を取りやめたところもあれば、予定通り行ったところもある。セキュア・ミレニアムはやめたんだろう、このスペースの余裕からして」

ありそうなことに聞こえる。この男が言うことに得体の知れない説得力があるのはいつものことだった。破風崎は自らの考えを確かめるようにゆっくりと続ける。

「だとすればあの晩の時点では、予定通り搬入された特別展示品が、梱包も解かれないまま返品に決まり、脇へ置かれていたかも知れないな。お前の見たのはそんな風情の荷じゃなかったか？」

すごくそんな感じだった。

「大雪での帰国遅延と大臣訪問中止のニュースは新聞やテレビでも、この会場内掲示でも伝えられていたから、簾並が俺と同じ道筋で同じことを思いついたとしてもおかしくはない。奴はその梱包がここで解かれることはないと踏み、中に袋を隠し、元通りに閉じておいた。透、この考えは有望だと思うか？」

山のような仮定を積み上げただけで証拠は何一つない。だが根拠は数多くある。透は勢い込んで答えた。

「うん、かなり」

「――ひょっとしたら裏を取れるかも知れない。来い」

破風崎は考えながら先に立って歩き出す。

「灰色のパッケージだと言ったな？」

展示会場から出た二人は、建物外周の運送会社荷掃場までやって来た。そこにはオレンジ色で《富士ロジスティクス》の社名をペイントした大小のトラックが何台も出入りしていた。

「ああいうのか？」

小ぶりではあるが透が見たのと同じ灰色のプラスティック梱包材の荷物がいくつも、所狭しと積み上げられている。

「そうだよ、ここの会社のだったのか――あ」

「どうした」

透の目はある大型の荷に吸い寄せられていた。

「あそこにある、大きいやつ！　破風崎さん、あれがそうだよ」

破風崎は頷いたが冷静に言った。

「わかった、だが今は人目があるから手を出せない。騒ぐんじゃないぞ」

地面に《歩行者用通路》と書かれたレーンを伝ってぶらぶら歩く。制止されない程度にできるだけ近付き、二人の目はあるものを捉えた。

「見たな、透」

「うん、見た」

荷の上辺、蓋となって折り返した部分の合わせ目付近からはみ出している布がある。その青い縞模様は忘れもしない、彼らの戦利品を入れたあの枕カバーの縁だったのだ。

「間違いないな」

破風崎の声が満足そうに変わった。

「で、どうする？　ダイヤはあそこにあるんだろ」

いくら人目があろうとも、透は問わずにいられない。

「焦るな。警備員がこっちを見てるぞ」

「だけど——」

「今日のところはここまでわかっただけでよしとするんだ。警察も簾並の仲間もダイヤのありかを知らない。俺達と簾並だけが把握している」

背後には荷掃場担当の警備員なのだろう、あの晩にもお目にかかった紺色の制服が立っていた。

「透、携帯にカメラが付いているな?」

「付いてる」

「おれがあの警備員に話しかけて注意を逸らすから、荷に触れないようぎりぎりまで接近して写真を撮れ。配送伝票やその他のラベル、剝がれずに残っている使用済みの古いシールや箱の傷もだ。後で見つけた時に特定する手掛かりとなる、固有の特徴を残さず納めるんだ」

「わかった」

透はすぐに取りかかった。それにしてもこの外出は効果を上げたと言えるのか。危険な思いをして盗み出したダイヤモンドの詰まった箱が、確実に目の前にあるというのに、またこの先の、あるかどうかもわからない再会を待たねばならないのだ。第一この荷物が目的地に到着したが最後、即座に梱包を解かれ中身を検められてしまうのではないか。破風崎にはそうならない確証でもあるのだろうか。考えても透には少しもわからなかった。

いくら脅し付けても締め上げてもダイヤの隠し場所を吐かなかった簾並は、戻った破風崎が灰色の箱に隠したのだろうと問うと、途端に項垂《うなだ》れてそれを認めた。今はすっかり消沈して、隣の部屋でぐったりしている。殴られ損とはこのことだ。

「くそっ、どうしてくれようか」

棟安は盛んに息巻いている。

「もういい。解放してやれ」

「いいのか？　隠した荷のことを仲間にタレ込むんじゃないのか」

「そうしたところで、この後問題になるのは荷の行き先であって、それを知らなければ追跡はできない」

破風崎の主張はこうだった。透によればあの晩会場のブースに荷物があった時点ではまだ配送伝票が貼られていなかったから、簾並も行き先を知らないはずだ。ここに連れて来てからは棟安や透がつきっきりで監視していたので、他に仲間がいたとしても展示場へ見に行かせる術《すべ》はない。またこれから解放され会場へ駆けつけようとも、すでに荷は発送されてしまった後であり、伝票を見ることは叶わない。

「もう発送されちまったのか？」

棟安が悲痛な声を出す。

「ああ」

実に名残惜しかったよと破風崎は苦笑した。ダイヤに最後の挨拶を、だ。

「送り先はどこだ？」

この問いには透が、隣室を意識した小声で答える。

「北海道。美瑛の奥にある、セキュア・ミレニアムの研究所行きとなってた」

棟安は憤懣《ふんまん》やる方なし、といった様子で隣室へ踏み込んだ。

「出ろ。お前にもう用はない」

未だに警備員の制服姿のまま、おずおずと立ち上がった簾並に、追い討ちをかけるように破風崎が言い渡す。

「解放する前に念のために言っておく。もしも俺達の行く先であの荷を探している者がいたら、お前の居場所を聞き出した上でそいつを殺す。その次はお前の番だ。だから仲間に知らせて行方を追おうなどという気を起こすな。あの荷のことは忘れろ」

透が目隠しした簾並を車で遠方に落としに行く準備をしていると、破風崎は棟安に手を差し出した。

「没収だ」

「へ？」

「勝手な行動は許さん。あのダイヤを出せ」

「また約束を破ったって、嫌われちまうんだよな……」

棟安は渋々ながらもポケットからさっきのダイヤを取り出した。

「それ、どうするんだ？」

「俺達が一旦は成功したことの証拠として上海に提示する。その上で装備を充実させるための協力を求める」

「するってえと、かなり物騒なことになるわけ？」

破風崎の口調が淡々としていればいる程、棟安が陽気に振舞うのはいつもだ。

春先の、ようやく陽の光が明るくなり始めた頃のことだった。この後透は我が手にダイヤモンドを握り締める夢を、週に一度の割合で見ることになる。

16

多少日が長くなってきただけでまだ雪も消えやらず、見渡す限りの白い大地である。

朝のうち、その上を吹き渡って来る風は強く厳しい。

二十頭近い番犬の世話にはそのために毎日決まった時刻に車でやって来る調教師が

いる。一匹しかいない飼い犬の散歩ごとき、別に必ずこの時刻に行う必要はなかったのだが、自分のように偏屈な男にとってはそんなことさえ似つかわしいようにも思えるし、この歳になれば毎日の習慣を崩すのはかえって億劫な気もする。

定年退職後の暇潰しだとしてもこのように寒さの厳しい土地に赴《おもむ》くなど、娘も親族知人も口を揃えて反対したものだが。一向に動じないでいると、最後には誰もが黙ってしまった。言い出したら聞かないと周囲から思われることは、時として便利なこともある。草壁修造は長い年月を費やして、そのような評判を培ってきたのだった。

セキュア・ミレニアム研究所上川実験場。傘下の企業の研究所に常駐する管理人を探しているがどうかと、遠屋敷一眞から直々に打診があった時には、自分が引き受けないわけにはいかないだろうと思った。犬を先に行かせて雪道を歩きつつ、草壁は昔を思い出す。

あれは下町で育った子供の時分から少しも変わらない男だ——ガキ大将とは違い、かといって皆の後を追って行くでもなく、独り自分のしたい遊びをしたいようにしている子供だった。学校の勉強は申し分なくできたが、大学に進学してからも当時の他の若者のように安易な思想活動に加わることもなく、超然としていたように思う。だからこそ警察官になった草壁との間に、長きにわたる友情を保つことができたのだ。

しかし技術者としてだけでなく実業家としての才能を併せ持った遠屋敷が、みるみるうちに財を成し名声を築き上げていった時には、もう自分のような者とは別世界の住人になってしまったのだと思ったが。以降も変わらない付き合いを続けてくれる遠屋敷に、草壁はある種の篤《あつ》い人間味を感じていた。

一旦引き受けてみれば、ここでの仕事は業務自体に余裕があり、定時連絡や訪問者の対応、たまに行われる防犯訓練などを除けばさほど時間を取られることもない。時折許可を得ずに取材に訪れるマスコミや、観光客と名乗る不審な客に気を付けてさえいれば良かった。嘆かわしいのは、そのような簡単な仕事さえマニュアル化しなければ対応できなくなってしまった若い連中の方である。

朝の散歩は私有地の外れ、車の通る道まで往復するのが日課だ。その往路、車道までの土手を上っていると、前方で犬が吠えている。先に道の端まで上り切った犬は、草壁のいる高さからは見えないものを見ているのだ。

「どうした――」

根雪に足を抜き差し上がって行った草壁は、オレンジ色で社名を描いた運送会社のトレーラーを見つけることになった。確かに今日は週に二度の定期便の日だが、こんな大型車が回されることは珍しい。いつもより荷が多いのか。

「どうもー、おはようございます」

運転席から降り立ったドライバーは新顔だった。

「すいません、セキュア・ミレニアムの研究所って、あの建物ですよね？」

「そうだ。配達か」

「ええ。どこから道が通じているかわからなくて。失礼ですが、御近所の方で？」

草壁は事情を把握した。週に二度の定期便のトラックと、毎日通勤して来る研究員や調教師と、あるかなきかの不定期の客と。そのようなわずかの往来だけでは、雪に付いた轍《わだち》の後もすぐに降り込められてしまう。道が判別できないのも無理もなかった。

「管理人をやってる者だ。どれ、誘導しよう」

「助かった、お願いしますよ」

犬と共にトレーラーを先導して研究所へ戻った。しばらくかけて荷物の搬入にも立ち会う。荷は東京の展示場からの大きな機材の箱がいくつもあった。伝票に印をついて運転手を送り出し、さっき付けた轍の後を辿って無事車道に乗ったのを見届ける。

管理人室へ戻った草壁は、東京の本社へ電話した。

「おはようございます。セキュア・ミレニアム総務部です」

電話番代わりの若い社員が出る。展示会担当の主任の名を言って呼んでもらった。

会期中の昼間は展示場の方へ詰めている者も、この時刻ならまだ事務所にいるだろう。

「お待たせしました、いつもお世話になってます。何かありましたか?」

「ああ、どうも。荷の到着がちょっと早いんじゃないかと思ってね。展示会用の大荷物、予定では会期の終わる今週末以降に戻って来ると聞いてたんだが、今朝着いちまったぞ」

「ああ、すみません。連絡するのを忘れてましたが、それでいいんです」

総務部主任は申し訳なさそうに答える。

「どういうことだ」

「実は、それを使ってやるはずの経済産業大臣向け展示が、急遽中止になっちゃいましてね」

彼は大臣の帰国予定が狂ったのだと説明してくれた。雪が降ると飛行機が飛ばないのは、洋の東西を問わずいずこも同じだ。

「それに伴って一般向け展示の方もお流れってわけで。それじゃあ会期末の混雑を避けて、早めに返送してしまおうということになりました。そちらにお知らせすべきところをしていなかったのは私のミスです。どうも申し訳ありませんでした」

ならばよし。草壁はこの主任が事実関係の説明とは別に、きちんと言葉にして謝罪したことに好感を抱いた。嘆かわしいことだが、この二つを混同する人間があまりにも多いものだから。

　ともあれ一服しようと、草壁はコンロに薬缶《やかん》をかけた。煙草は数年前に止めてしまった。酒は元々多くを飲まないし、茶葉は安いので充分だ。我ながら金のかからない性質《たち》でいいと思う。熱い番茶で束の間の暖をとると、草壁はまた立ち上がった。

　間違いでないのなら、届いた荷は後でもっと奥へ入れておいてやるとしよう。運送会社が降ろして行った荷掃場は屋外とわずかに扉一枚隔てているだけで、昼夜の寒暖の差は外気とさほど変わらない。そのような環境下に精密機械を放置しておくと色々と都合の悪いことが生じるらしいのだ。以前研究員の連中が困り果てていたのを聞いたことがある。

　裏口から外へ出ると、草壁は妙なものに気がついた。足下の雪の上に、何か落ちている。それも一つではない。散らばって続いているその物体は見える限りの範囲にざっと数十個はあった。一つを拾い上げてみればそれはビニールの小袋で、中にガラス玉のような物が封じ込められている。小さなシールには文字か記号が書かれているようだったが、老眼鏡の助けなしには読むことができなかった。前方の荷掃場の扉は細く開き、落ちている物体の列はその中へと続いている——いや違う反対だ、扉の中から出て足下を過ぎ、自分の後方へと伸びているのだ——犬がいる場所まで。

犬は何やら色鮮やかな布切れを見つけて大はしゃぎだった。嬉しそうに吠えながら咥《くわ》えたそれを降り回すと、その度に積もった雪の上へ、煌めく何かが振り撒かれるのだった。念のため荷掃場の中を覗いてみると、一番大きな箱の天辺が開いている。普通ならあの犬には届かない高さなのだが、運悪く隣に置かれた低い箱が踏み台の役割を果たしてしまったようである。

やれやれ——草壁は嘆息する——やってくれるわい。こいつは子犬の頃からはみ出した布切れのようなものが大好きなのだ。あの青い布袋の中身が何かは知らんが、重要で高価なものに違いない。元通り拾い集めるのが一苦労だ。

17

膝下はブーツで覆われているものの、穴の開いたブラックジーンズは九月末の北海道には少々寒かったかも知れない。ボレロ丈のファーコートにしたって、見てくれはいいが暖かさは中途半端極まりない。しかし草壁梓《あずさ》は親譲りの負けず嫌いだったから、空港ビルのコンコースなどという人目のある場所ではことさらに颯爽と歩を進めた。

これからやることは決まっている。旭川市内にある富士ロジスティクスの配送センターへ向かうのだ。今からタクシーを飛ばせば営業時間内に着くかも知れない。

荷物を全部持って、後ろから梁本《はりもと》がついて来る。さながら筋肉の塊といった様子は身体だけに留まらず、顔つきも鬼瓦のように精悍そのものだ。巨大な男は後ろから梓の肩越しに、囁くように問いかけた。

「寒くない?」

「大丈夫。ありがと」

彼女はこの大男の気遣いを心から嬉しく思い微笑んだ。梓が梁本剛《つよし》と出会ったのは、前に法律事務所に勤めていた頃のことである。


早くに母親を亡くし、父親と祖母の手で育てられた彼女は高校の進路指導の際、将来は警察官か警備員になりたいという志望を周囲に話すが。残念ながら諸手を挙げて賛成されるというわけにはいかず、難色を示されるか、少なくとも不思議がられるに留まった。周囲にしてみれば、これだけ華やかな容姿をした若い女が、それを生かした人前に出る職業を選ばず、わざわざ過酷で危険な道に進もうとするのを理解し難かったのだろう。もっとも、口数少ない父親だけは娘が自らと同じ職域を選んだことに気付いて、人知れず喜びを噛み締めていたかも知れないが。

その辺りは保留にしたままで、梓は法学部に進学する。成績は全般に優秀だったが、ミス大学に選ばれたことの方が彼女を有名にした。卒業後はやはり周囲の了承を取り付け損ね、ならば法曹界を目指そうと、都内でも名の通った法律事務所に就職する。アフターファイブは専ら司法試験対策のスクールへ通い詰める毎日を過ごしたが、学校でも職場でもそれ以外でも、彼女は男達の好意——場合によっては行き過ぎた衝動を伴う——が煩わしくてならなかった。


ある晩梓はいつものようにスクーリングを終えた。帰り際には講師からの食事の誘いを断わった。午前中には事務所の後輩に対し週末の映画を保留にしている。明日にでもタイミングを見計らって断わろう。そういう細々したことを粗雑に行えば、傷ついた男心によるまた別種の面倒に巻き込まれかねず、かえって厄介なことになるだろうから。そんなことを考えて大きな溜息と共に家路についた。

スクールは駅の近くにあり、繁華街の中を通るのが一番の近道だ。パチンコ屋や牛丼のチェーン店、遅くまで営業しているドラッグストアの明かりを辿って足を早める。コンビニエンスストアの前で携帯電話をかけているいかつい大男が、通り過ぎざま視線を貼り付かせてくるので、梓はちらりと顔を見て面識がないことを確認した。知り合いじゃない、ストーカーでもない。どちらも今のところは、だ。

と、前方の駅前ロータリーにどこかで見たような白のＢＭＷが停まっている。よく思い出せないけど——あの車って、どこで見かけたんだっけ？　すぐに左側の運転席から色白の子供っぽい顔が覗き、謎が解けた。

「草壁さん、お疲れ。家まで送って行きますよ」

梓はうんざりする。彼女を映画に誘った事務所の後輩だった。確かにここのスクールに通っていることは話した。だけどこいつときたら明日まで返事を待てない程のガキなのか。

「わざわざどうしたの。悪いけど必要ないから。まだ寄るところもあるし」

こういう時ははっきり言った方がいい。そう思った末の冷たいとも取れる態度が気に障ったのか、彼は早足で横を通り過ぎようとした梓のショルダーバッグを摑んだ。あっ、こいつ！　勢いでつんのめった拍子にストラップが肩から外れ、彼女はうっかりバッグを手放してしまった。

「返してよ」

顔にかかった長い髪を掻き上げ、毅然とした声色で言うが。

「これなしじゃ帰れないよね。だから乗って」

何という言い草。怒りで目の前が真っ赤になる。

「返しなさい！」

バッグを取り戻そうと開いた窓から車内へ手を伸ばしたのも良くなかった。今度は腕を摑まれ、いよいよ身の危険を感じる。本格的に叫び声を上げようと、息を吸い込んだ時だった。急に後ろに迫った何ものかに遮られ、辺りが暗くなる。駅前のパチンコ店や電車の騒音さえも、途切れたような感覚に襲われる。

「おい、何してる」

怒気を含んだ低い声だった。自分の肩越しに背後を見つめる後輩の顔が、驚きと恐怖に歪む。同時に腕を摑んでいた力が緩んだ。

「――ああ、いえ、別に」

「手を放すんだ」

後輩はすぐにそうした。梓が腕を引き抜くと窓まで閉めた。そして車はそのまま滑るように走り去った。

「あっ、ちょっと、バッグ持って行かないでよ！」

その声が聞こえたかどうかは怪しいものだ。なぜなら白のＢＭＷはその頃すでにワンブロック先の角を曲がり切っていたから。梓は呆然と立ち尽くす。こんなのって、あんまりだ。

「ひどい……バッグも携帯も取られちゃった」

彼女の周囲がまた暗くなった。申し訳なさそうな声が降ってくる。

「あのう、もしかしたら余計なことをしてしまったでしょうか。彼、あなたの恋人だった?」

「そんなわけないです!」

つい怒りのこもった声になったが、振り返った彼女は途端に勢いを削がれてしまう。後ろにいたのはさっきコンビニエンスストアの前で電話していた巨漢だった。

すごい、見上げるように大きいだけじゃなく、肩幅も、胴体の厚みも尋常じゃない。おまけに近くで見たら顔もえらく恐ろしい。頬の筋肉の盛り上がりや眉の線、大きく見開いたような目が自然と、鬼のように睨み付ける表情になっているのだ。まさに格闘技系の迫力を発散していて、初対面でいきなり声をかけられたりしたら、何ら後ろめたいところのない人間でも逃げ腰になるだろう。だが男が発した言葉は何とも気弱なものだった。

「そうですか。僕が脅かし過ぎて逆効果だったかも。どうもすみません。ともあれ怪我がなくて良かった」

「あ、いいえ……おかげで助かりました」

梓が慌てて頭を下げると、男はほっとしたように笑顔を見せた。この時初めて彼女は思う。素直で思いやりのある人のようだ。髪は西洋の子供みたいに柔らかそうなウェーヴで、これで結構可愛いところがあるのかも。

「そう言って頂けると気が楽になります。ええと、警察に行かれますよね？　バッグも携帯も取られたし。よかったら僕もついて行って、起こった事を説明しますけど」

「はい。ありがとうございます。御面倒おかけしてすみませんが、お願いします」

警察へ届けを出してから帰るまでに、梓は相手の連絡先を訊ねた。男は調査会社に勤める梁本と名乗り、彼女は彼に対して実に久しぶりに、もっと親しくなるため自分の容姿や魅力を最大限に活用したいと思うようになっていたのだ。


気の弱さや癖っ毛が災いして子供の頃からいじめられっ子だった梁本は、転校先の中学校で教師に勧められて体操部に入った。そこで彼が素早い動きはどうにも苦手であるのを見てとった教師は、中でもウェイトリフティングを勧める。

ひたすら溜めを求められる競技のために日々重ねた静的な鍛錬から、梁本は隆々たる筋肉と骨格に加えて心的な平常をも手に入れた。そうやって作られた肉体と精神は決して格闘向きではなかったが、格闘が必要となる事態への抑止力としては充分な効き目をもたらした。これにより高校進学後の彼は、いじめもケンカも経験しなくなる。外見と噂だけが先行して、暴力を遠ざける結果になったのだ。

ともあれ、梁本という男は梓と同じで、セルフ・イメージと世間が自分に抱く印象に折り合いをつけるのに、大人になるまでのかなりの時間を費やした口だった。梓は別にマッチョな男が好みなわけではなかったし、梁本は特に派手な女が好きなわけでもなかったが、お互い似た者同士であることには、二人共すぐに気付く。見かけによらず生真面目な梓と、見かけによらず誠実な梁本が、心を許し合うにはさほど時間を要しなかった。端から見れば凶悪なまでにフィジカルな魅力を発散し続けるこの二人は、素朴でひたむきな親愛の情で結ばれていったのである。

梁本が追い払い梓が厳格に対処した法律事務所の後輩は、ありがちなことに大口顧客の子弟で、ありがちなことに梓に上司を通じて圧力をかけた。曰く、気を持たせたとか思い込みが過ぎたとか、彼女の方にも落ち度があったのではないかと。梓はそのようなことはまったくないとの主張を曲げず、和解を拒み続け、後輩への厳正な処分を要求し続け、彼がついに辞職するのを待って自分もそこを退職した。つまり最後まで闘って、勝利を収めたのだ。

今の梓の勤め先は信用調査等を業務とする小さな会社である。梁本の会社の上司が独立して始めたそこで見習いとして憶えた仕事の数々は、彼女の元からの志向を満たし、小さな成功の積み重ねが自信の源となった。梓は護身術を身に付け、方々を歩き回り、場数を踏み、様々な世知と教訓を得て成長した。


「これは、あんたのお父さんの勤め先じゃないのかな?」

所長は痩せた小柄な老人だったが、枯木のような見た目からは想像もつかないよく通る声で話す。その日彼の手元には、同業者からと思われる問い合わせEメールをプリントアウトした文書があった。こういったものをディスプレイに置いたままでは扱いかね、わざわざ印刷したがるのはこの年齢層の例に漏れない。

大手保険会社と契約している別の私立探偵がそのメールで提示しているのは、ある盗難事件の被害者である法人が、相応の費用をかけてでも盗まれた品を取り戻したがっているという情報だった。あくまでも守秘義務に触れないよう固有の名称を伏せた上で、同業者同士のこのような照会はよく行われる。得意分野の情報や偶然摑んだネタのやり取りはもちろん、場合によっては顧客に合意を取った上で下請契約、などということさえあった。

梓は一通り目を通して驚いた。問題は盗難事件の容疑者の一人として逮捕された男の立ち回り先リストだ。警備会社に勤めていたその男は今年の春、勤務中に遭遇した盗難事件で逃走する犯人に拳銃で撃たれて負傷している。当初は被害者だと思われていた男は怪我を理由に退職したが、警察の捜査が進むにつれ共犯容疑が固まり、この六月に逮捕と相成った。その間様々な土地を巡り歩き、行き先はなんと全国各地十数ヶ所にも及んでいる。エレクトロニクスや総合機械メーカーの本社やショールームが並ぶそのリストの中には、確かに梓の父親が管理人として勤める北海道のＩＴ関連企業研究所も見えた。

この男はまた逮捕後の警察の取り調べに、仲間の行動を漏らした。どういうわけか盗んだ品は仲間が持ち逃げし、それらの土地のいずれかに隠したと信じているらしいのだ。保険会社から依頼を受けた探偵事務所は盗まれた品を探し出すべく、地方の調査を分担してくれる下請先を探しているのだった。

「で、この盗品というのは何なんですか？」

「それはね、ダイヤモンド。総額は時価で四億九千八百万だそうだよ」

開襟シャツの衿元に絹地の扇子で風を送りながら所長は言った。まるでここだけが昭和三十年代に逆戻りしたかのような光景である。

「え、そんなこと、ちっとも書いてないじゃないですか」

「書いてもらうと法に触れるからね、聞いたのよ」

老人はニコニコして片手で受話器の形を真似た。左様で御座いますか。

「どう、あんたがやるなら北海道のはうちで受けようかね。たまには里帰りして親父さんに顔を見せてやりなさいよ」

里帰り？　草壁家の場合は彼女が成人してから、父親の方の仕事が理由で現在のように東京と北海道に離れて暮らすことになったので、単身赴任といった方が正確だ。その辺の細かい事情はどうでもいいとして、梓は照会書にもう一度目を通して考えた。事件が起きたのは三月、容疑者が逮捕されたのは六月、今は八月だ。当然これら立ち回り先はすでに警察も一通り調べたに違いない。警察も発見できない盗品を探し出せというのか。それにも増して気になるのは――。

「所長、もしかして私の父を疑ってのことですか？」

「いやいやとんでもない。そんな失礼なことは思っていないとも」

さも驚いた風にかぶりを振って見せるが。食えない、それでいて憎めないこの年寄りの腹の中はおよそ想像がつく。警察より先に盗品を探し出すことにかけて、梓が有利である理由には二つの側面があった。管理人が身内なら、聞き込みも捗《はかど》るだろうというもの。加えて、もしも相手が隠匿横領していた場合は、説得者としても適任であろうというもの。梓は一通り考えを巡らせてから返事をした。

「――いいですよ、やります」

十数ヶ所のうちのたった一ヶ所だ。頑固者で不正の大嫌いなあの父が、悪事に手を染めるなどとも思えない。たぶん調査は空振りに終わるだろう。所長には悪いが本当に里帰り気分で行かせてもらうとしよう。

梓からの着メロは『君の瞳に恋してる』に決めている。梁本は彼女と付き合うようになってから、それをずっと変更していない。今日は合計二回耳にした。モーニングコールと、待ち合わせに少し遅れる連絡と。それが普通だ。メールなんてそれほど頻繁にくれるわけじゃないし、くれたとしても絵文字や記号は使わない。つまり梓という女はかなりあっさりした、素気ないといってもいい性格なのだった。

初めの頃の梁本は、自分はあまり愛されていないんじゃないかとか、美人だけに細やかな心遣いのできない冷たい女なんじゃないかとか、いろいろ気が気でなかったものだが。実はそんなことはまったくなく、単にシンプルでさっぱりした性格の女なのだとわかった今となっては、お互いの信頼と愛着はいよいよ増すばかりだ。

　今日だって目の前の梓は、瓶ビールを手酌で飲《や》っている。こうして二人で食事をする店も、居酒屋でちっとも構わない。自分といる時の笑顔が一番寛《くつろ》いでいる。抜群のスタイルは何を着たって似合うが、ジーンズやTシャツ、それもダメージの効いたやつが大好きだ。ベタベタ甘えはしないが心根は優しくまっすぐで、自分を深く愛し頼りにしてくれているのがわかる。

「ニヤニヤして、どうしたの」

「幸せなことを考えてただけ」

「ムッツリ何とかって言われない？」

　華やかに微笑みながら、梓は焼き鳥を串から直接食べている。若い女は普通、箸で外してから口に入れるもんじゃないのか？　そんなんじゃ百年の恋も――いや、決して冷めたりしないけど。梁本はこれ以上からかわれる前に続きを促す。

「で、依頼主には会ったの？」

　彼女が希望した時は、梁本は先輩として仕事の相談に乗ることにしている。もっとも今日は別の相談事もあったが。

「うん。照会元の探偵社が引き合わせてくれて、事件の経緯とわかっている事実を直接詳しく聞かせてもらった。どうやらあのリストというのは、宝石盗難事件のあった国際ジュエリー・フェア会場の隣、逃走した方の犯人が通り抜けたロボット展示会場の出展元企業ばかりなのよね」

　やるじゃないか。単なる請負仕事と思っていたらこうはいかない。彼女は文句なく有能だ。だがその有能さを超えて美人なんだよな。本人に言うと怒るけど。

「どうやら捕まった犯人は、逃げた共犯者が、隣の展示会場から発送された荷物にダイヤを隠したと信じているらしいの」

「確かなのかな」

「さあ。思い込みかも知れない。だとしたらどうなる?」

「共犯者が手元に抱え込んでるか。それとももう売りさばいてるか」

「普通はそう考えるよね。でもダイヤを盗まれた生産者組合と保険会社はそうではないと考えてるようで、目的は盗まれた宝石の回収だとはっきり言ってた。それに関しちゃ、警察をあまりあてにはしていないみたい」

　この場合被害者が個人資産家などでなく生産者組合だから、事件以来、流通経路全体を広く監視しているのだろう。そうして盗まれた宝石の一部でも市場に出たのを捕捉しない限りは、回収の望みがあると考えているのだろう。

対して警察は捜査の重点を、まだ逃走中のもう一人の容疑者逮捕に置いているのか。まあそっちを捕まえさえすれば、盗品をどうしたのかもはっきりするわけだし。その男が回収し、すでに売りさばいているという可能性を潰すにはそれが近道だ。

現地へ向かう前に東京で、もう少し調べておくことがありそうだぞ、と粱本は思った。例えば盗品専門のブローカー。今回のような大量の宝石なら、盗む者は事前に当たりをつけていたかも知れない。共犯者が回収して現金化しようとした場合なら、そっちで網を張ることができる。

「でね、相談があるの」

彼女は思わせぶりに身体を乗り出す。今日の服装は黒のビジネススーツにほんの少しだけサーモンピンクがかったオフホワイトのブラウス。必要最小限しかボタンを止めていないからこのポーズでの胸元はかなり危ういが、こんないい眺めを台無しにしてまで上まで止めろなんて野暮は言わない。むしろ自分が傍にいる時は、いくらでも奔放にしていてほしいと思う。

「お父さんが協力してくれたら話は早いんだけど、問題は断わられた場合ねえ。強引にでも研究所内を捜索することになるか」

「強引に？　穏便にはできない？」

「そんなの無理でしょ」

梓は不満そうに身を引いてしまう。ああ、折角の絶景が。

「何だか気が進まないなあ。僕としてはこれが、君のお父さんに紹介してもらって挨拶する初めての機会になるんだからね。一方で相手の意に染まない家探しをしなきゃならないなんて。片手で握手しながら片手で懐を探るようなもんだよ」

「うん、まあ、そうよね」

それには梓も同意する。この訪問が梁本を結婚相手として認めてもらう、そちらの方でも大切な機会となることは、彼女も承知の上なのだ。

「うーん。紹介はまたにして、やっぱり私一人で行こうかな……」

「あっそりゃないよ、僕も行くんだってば」

梁本は慌てて取りすがった。甘えたような口調になってしまうのも情けないが、結婚までの期間をできるだけ短縮したいと考えているのはどちらかというと梁本の方だったから。なんとも分の悪いことだが仕方がない。

「わかった、場合によっては多少強引な手段に訴えるのも止むを得ないか。それでもちゃんと協力はするから安心して」

梁本の譲歩に、梓は今日一番上等の笑顔で応えた。

「ありがとう。当日までに建物の造りや何かをざっと説明するけど、あまり気に病まないでね。お父さんが協力してくれて盗品が見つかるか、反対に何も出てこなければ一件落着なんだし」

そうであって欲しいものだ。問題はそうでなかった時である。梁本は少し冷静になって考えてみた。

研究所の管理人である彼女の父親が単に職務上の理由で協力を渋っているだけなら、思い切って事情を話すのもいいだろう。今のうちから悪意の介在を想定しなくてもいいではないか。

「九月の終わりに現地入りして、まずは配送業者のルートや周辺の状況を調べるつもり。父に会いに行くのはその後にしようと思う」

「最初は一人で？」

「そう。来てくれるのは父に会う約束を取り付けてからでいいから、ね」

「いやいや、僕も最初から行くよ」

しかし探すことを許されず、それでももしも管理人が横領や隠匿をしていたと信ずるに足る根拠が出ればどうなる？　これが赤の他人であれば悩むことなどないのだが、管理人は彼女の父親だ。顧客はダイヤの返還を第一義に求めている。ならば管理人が荷の中に入っていたのを知らなかったことにすれば、第三者には横領や隠匿の事実をなかったことにできるかも知れない。これは顧客にとってはより簡単な回収策でもあり、所長にとっては梓への親心でもあった。あの狸親父め、よく考えてあるじゃないか。それにしても、まずはダイヤが見つからなければ何事も起きようがないのだ。

何しろ十数ヶ所のうちの一ヶ所だ——おそらく、いやきっと空振りに違いない。こんな心配は取り越し苦労になる。梁本も梓と同様、高を括っていた。少なくともこの時点では。

第三章　突破〈Breakthrough〉

18

十月末の北海道としては今年は比較的暖かいのだそうで、すでに済んでいる初雪も、遠く望む大雪山系を白く飾る程度のものだった。空は薄曇り、地平線近くの雲は日没前の傾いた陽に後ろから照らされて、甘いサーモンピンクの縁取りを見せている。風も多少はあるようだ。一旦侵入してしまえば競技の舞台はほとんどが屋内だから、天から降って来るものが何であろうと構わないが、この寒さだけは勘弁してほしい。

俺が首をすくめて身震いしていると、真新しいキャンピングカーの戸口から顔だけ出して中井が周囲を見回した。去年と違うグレーのセーターを着ている。例によって七着まとめ買いしている、これが彼の新しい冬服なのだろう。

「丹羽さんは？」

「向こうだ」

俺が指差した方向には奴のキャデラックSRXが停まっていて、さっきからその中に入ったまま出てこない。そうだよな、寒いもんな。

丹羽の車の向こうには競技開催元関係者がミニバン数台で乗り付け、お揃いのウインドブレーカーを着込んだ大勢のスタッフが何やらミーティングを行っていたし、さらに向こうや手前には一定の間隔で警備員が配置されている。結構な人出だ。ただしそれだけの規模のイベントにもかかわらず、マスコミの取材や一般の観客らしき人々の影はどこにも見当たらなかった。セキュア・ミレニアム株式会社主催、東日新聞社・帝都警備保障・白陽電機株式会社協賛、第一回《ブレイクスルー・トライアル》は、この北の地でひっそりと、だが着々と執り行われようとしている。

「どうする、呼んで来ようか」

「そうだな——じゃ、とりあえずあんただけでも、ちょっと入ってくれる？」

キャンピングカーの中は暖かくて居心地がいい。中井でなくとも外へ出て行くのが嫌になりそうだ。彼は背を向けてノートパソコンをいじっていたかと思うと、振り返って両手に持った物を差し出した。片方はトランシーバー、もう片方はＰＤＡ端末である。競技中の連絡と位置確認はこれらを使って行う手筈になっている。

「電源を入れて。あんた達二人の居場所はＧＰＳを利用した位置確認システムで検知し、建物外郭に対する相対位置情報に変えて送り返す。ＰＤＡの画面に表示するのを平面図と見比べてどこにいるか把握してくれ。一度通った道筋は記録されるから、動けば動くほどマップは充実していく」

電源をオンにすると液晶画面の縁一杯に、簡単な描線で建物外郭と階段やエレベーターなどが初期表示される。中央下に光っている緑色の点が俺の現在位置というわけか。中井に促されて車内を歩き回ると、光点も同じ方向へ動いて軌跡を描いた。しかしこの表示だと、もうすでに建物内に侵入していることになってしまって変じゃないか？　俺がそう言うと中井は。

「今はテストのため、起点を一時的にこの車の出入口ステップに設定してるからね。実際の侵入と脱出は、それぞれどこからにするつもりなんだ？」

「入るのは南側正面エントランス。脱出は、そうだな――決めているわけじゃないが、ゴールを考えると私有地の境界線に最も近い東側、ここから見えているあの非常口から出るのが若干有利か」

俺は考えながら答えた。こういうイメージ合わせは案外大事だ。中井は頷いて言う。

「入る時にエントランスで一旦立ち止まって連絡してくれ。そこを建物との位置合わせの起点に設定するから」

「わかった」

トランシーバーにも電源を入れて通話してみる。小型で高感度なそれは、子供の頃に遊んだ玩具とは大きさも重さも趣を異にしていた。

「さて、次だ」

調子良く言いながら中井はＯＡラックの下段からエアキャップに包まれた塊を二つ抱え上げた。ここへ入って来た時からそうだが、彼は明らかにいつもより上機嫌だ。このトライアルはそれだけ色々と旨味の多い商談なのだろう。

包みの中身は、覚悟はしていたが実にグロテスクなものだった。形だけはリアルな人間の手のひらで、手首で切断してあるため全長十五センチくらい。薄桃色の半透明なシリコン樹脂を透かして、内部を通る赤黒い血管がくっきりと見て取れる。掴んでみるとずっしり重い。微かな弾力が手に吸いつくようで、気味悪さもひとしおだ。

「シリコン製の外形はラフでも構わないと思って、俺の手で型を取って適当に作った。指先部分にだけはデータに入っていた遠屋敷会長の指紋パターンをセットしてあるから、静脈認証だけでなく指紋認証にも使えるよ」

そう聞かされるとセーターの袖から露出している彼の右腕につい目がいってしまう。生物標本としてもやっぱり悪趣味なこの手首は、言われてみると中井の骨ばった右手そのままの形をしていた。

「中を通ってる血管の代用品は着色した感光性樹脂だ。遠屋敷の静脈立体パターンをホログラフィにして固めた」

感光性樹脂というのは別名APRとも呼ばれている、光を当てることで固体化する樹脂である。液体の時は無色透明で、やはり無色透明な水槽の中にそれを一杯に満たし、外からの光で水槽内にホログラム映像を結ばせると。像の部分は光に反応してその形に固まるが、残りは液状を保ち、洗い流せば像の部分の立体だけが残るという寸法だ。中井はこれまでにも同じ方法で他人の静脈パターンを仕込んだ人工掌を作ったことがあるそうだが、初めて実物を見る俺は半信半疑だ。

「これ、使えるのか?」

「使えるさ。使うだけなら皮を剝いた大根でも使えるけどな」

冗談なのかどうか量りかねる言葉に、俺はただ口の中でウソだろ、と呟くばかりだった。この男は電子的な技術だけでなく、工芸的な手先の器用さと、それをこうした突拍子もない要求に生かすための発想力や茶目っ気を備えている。

「試させてくれないか」

心得た、と言うように頷いて、中井はキャンピングカーのトイレのドアへと俺を案内した。ドアのレバーの周囲一式はアルミニウム合金らしき白銀色のパーツで固められている。手のひら静脈認証用の大型センサー部分といい、室内とは思えない頑丈なラッチといい、このトイレのドア周りには、テスト用の静脈認証装置とシステムがそっくり構築されていた。

中井に促されて黒いセンサー部分に人工掌をかざしてみるが、錠の開閉を示すランプは赤いままで、変化はなかった。

「おい、こんなんじゃ焦ってトイレに駆け込みたい時に困るじゃないか」

「もうちょっと近付けて。接触させなくてもいいから」

言われた通りにすると小さなアラーム音が鳴ってランプが緑に変わった。次いで金属の触れ合う物理的な音がして、トイレのドアは開いた。

「――お見事」

「どうも」

中井はニヤニヤするでもなく誇らし気な顔をするでもなく、ことさらに無表情を装って言葉を続けた。それがこの男の得意な時の表情なのだ。

「そのへんにぶつけてポッキリいかないように気をつけてくれ。それでまあ、できれば持ち帰ってくれないかな」

言いながら人工掌に厚手の登山用靴下を履かせて渡してくれる。

「何でだ？」

俺の警戒心がアラームを鳴らした。見た目は奇妙でも、これは赤の他人が遠屋敷一眞という資産家になりすませるツールなのだ。中井にだって悪用し甲斐はいくらでもあるはず、と勘繰ったのだが。彼の意図はそんなところにはなかった。

「製法を俺の独占にしたい。特許申請するわけにもいかないんで、せいぜい真似されないように、作ったものは確実に処分したいと思って。持ち帰るのが無理なら、元が何であったのか判別不可能なくらい破壊してから捨てて来てくれ」

「わかった」

キャンピングカーの外に出ると、入る前より外気はもっと冷たく、夕陽はもっと赤く感じた。白い息を吐きながら丹羽の車に寄って行くと、助手席にはいつの間にかスタッフの女の子が乗っているではないか。愛想笑いをしながら仕事に戻る彼女を見送ってから丹羽に告げる。

「中井が呼んでる。トランシーバーとＰＤＡと人工掌を受け取って、位置情報取得と静脈認証の動作確認をしてもらって来い」

「わかった。あのさ、僕らのスタート順は十番目みたいだよ」

女の子と雑談していただけかと思ったら、そんなことを聞き出していたのか。

「それはつまり、今日が十二チームを四つに分けた最終四日目だってことか?」

「そうそう。最終グループ三チームの先頭なんだって」

丹羽が中井の車へ行った後、俺はもう少し周囲の様子を眺めておくことにした。

地図に描かれていた通り、車道のすぐ内側へ一歩でも入ればそこはもうセキュア・ミレニアムの私有地である。研究所を含む敷地は北側から西側にかけてを林に、東側および西側を道路に挟まれて、南側だけが開けたいびつな四角形をしていた。このワンブロックだけで約五キロ四方、どだい街中とはスケールが違う。俺が今いる車道は以前下見に来た時のちょうど反対の東側に当たり、なだらかで広い草地の斜面に建つ研究所を、山の中腹方面から見下ろす形になっていた。

傾いた陽を受け、逆光にシルエットを浮かび上がらせている建物の、手前に当たる東側外壁には一階毎に折り返す外部非常階段が、左手の一角には南側エントランスホールのガラス壁の端が回り込んでいるのが見てとれる。

研究所は敷地の中央よりも手前寄りにあって、ここからの距離はおよそ千三百メートルといったところか。建物のすぐ傍に金網のフェンスが、五百メートルくらい外側にスチール製の柵が張り巡らされ、周囲に何もない土地を本当に贅沢に使っている印象を受ける。

首尾良くマーカーを持ち帰ったチームが複数出た場合は、敷地内に入った時からのタイムを争うことになるため、建物までの距離を移動する時間はわずかでも短縮するのが有利だ。敷地内に車を乗り入れてもいいということなので、境界線から建物を囲うフェンスの正面ゲートまでは丹羽の車で行くことにしている。見ればスチール柵の正面ゲートは開放されているから、その気にさえなればゲート内側の建物エントランス階段下までも、そのまま乗って行けそうだった。

車道に沿った横手方向に視線を転じれば、トライアルに関わるすべての人と車が私有地の境界線でもある小高い土手のこの道路上に並んでいて、なかなかの壮観だ。数百メートル離れた所に他チームのものらしき車が停まってはいるが、参加者の姿は見えない。各チームが合流してしまうのを避けるためスタート時刻はずらし、間に三十分以上置いて調整される。ちょっと考えると同日内なら後でスタートする方が有利な気もするが、一概には言えないだろう。先のチームの妨害工作や、その動きに誘発された警備態勢の変化に攪乱されない分、俺は先にスタートする方がいいと思っていた。

その俺達の出発時刻ももう間もなくだ。

キャンピングカーから降り立った丹羽がこちらへやって来る。愛車キャデラックに乗り込む彼はナイロン素材のショートコートの下にパーカーとTシャツを重ね着していて、小さいリュックを持っている。トランシーバーは腰のベルトに挿していた。俺は革のライダーズジャケットと厚手のタートルネックセーター、マフラーを外して後部座席に放り込み、ジッパーを首まで上げて、斜め掛けしたショルダーバッグのストラップ前にトランシーバーをセットする。足回りは二人共ジーンズにごついトレッキングシューズだ。

「そろそろだね」

「しかし寒いな」

助手席に乗り込みながら俺は言った。口にする言葉に意味があろうがなかろうが、すべて白い息になる。

「それじゃ、お願いしまーす！」

離れた所にいるスタッフに手を上げて声をかけ、丹羽はアスファルトの車道から短い草地の斜面へ、ゆっくりと乗り入れた。敷地へ入った瞬間からスタッフがタイムを取り始める。

「カウント開始、十七時〇分二十二秒！　制限時間は今から十二時間です」

ということは明朝五時過ぎまでがリミットだ。もちろん、そんなに時間をかけるつもりなどない。

19

梓は研究所へと続く緩い坂道を上りながら、傍らを歩く梁本に訊ねた。建物の西面は自分達の背後から射す夕陽を浴びて柿色に染まっている。もう少し行けば右手にエントランスへ上る小径が枝分かれしているはずだった。

「空港での電話は何だったのか教えて。ブローカー経由の調査がはかどった？」

空気は冷え切っていて吐く息は白いが、ミリタリージャケットに厚手のセーターというそれなりの格好をしているので、そしてずっと身体を動かしているので、あまり寒さは感じない。

「そりゃあもう。まあ聞いてよ。思った通り、まとまった量のダイヤモンドの取引を持ちかけられた業者はいた。で、早速アプローチしたんだ」

得意気な顔の梁本に梓はちょっと水を差してやりたくなる。

「情報料を支払って？」

「もちろんしかるべき金額をね。でもそれだけのことはあった、警察には言ってない話が聞けたから。その業者によれば、まとまった量の宝石をさばけるかどうか、売り手から事前に打診があった。売り手というのがつまり、まだ逮捕されていない方の泥棒らしい。で、この男が来ないので待ちくたびれた業者が持ち込みはいつになるのか問い合わせたら、そいつは宝石はさる企業内のどこかにあるから、回収から請負ってくれないかと言ったきり行方をくらましたらしい」

小径に敷いてある砂利をワークブーツで踏み締めてザクザク音をさせながら、梓は黙って聞いていた。好きな男の嬉しそうな話し振りに自分まで楽しくなってしまうなんて、私も随分単純じゃないの。

「逃げた方の泥棒が盗品を隠したのは、どうやらジュエリー・フェアの隣の展示会場だった。位置関係からするとセキュア・ミレニアムのブースの近く。しかし、逃げた泥棒は自分がダイヤを隠した企業がそれをどうしたかはわかっていない。捕まった泥棒は捕まる前に配送業者に当たって会場からの送付先リストを入手したが、どの企業にあるかを知らず探し回った」

「――そういうことなんだ」

すると、自分達が捜索する先はかなり有望ということになるのか。梓の頭から里帰り気分は一瞬にして吹き飛んだ。同時に目の前に所長のほくそ笑む顔が浮かぶ。

「間抜けな泥棒。隠し場所がわからなくなってりゃ意味ないじゃない」

突然背負い込まされた仕事のプレッシャーと肉親への疑惑と家庭の危機に、梓は八つ当たりめいた口をきかずにいられない。

「そうだね。でもこの話はまだ警察も知らない。逃走中の男は盗品をブローカーの所へ持ち込んでもいない。ということは――」

「十数ヶ所のリストから、当たりを引いちゃったってこと？　盗品はお父さんのいる研究所にあるんだ」

「たぶんね」

歩きながら話し終わるともう、明るい照明の灯った南側エントランスまで来ていた。梁本は遠慮がちに訊ねる。

「……あー、お父さんに連絡はしてあるの？　つまり、僕らが今日行くってことを」

「うん、一応ね。来なくていいとか言われたけど」

常日頃からしょっちゅうそんな言い方をする、偏屈な父親である。だが今のような話を聞かされた後だと、そんな言葉もつい曲解したくなってしまう。何か隠し事でもあるのかと。

「どうやって入る？」

見れば研究所を取り囲むフェンスの正面扉は開いていた。だからといって建物までこのままうっかり近付こうとすれば、途端に十八頭の番犬が走って来ることを梓は知っている。そのために日中はフェンスを閉じる必要もないというわけか。フェンスの扉に取り付けられた呼び鈴を押し、彼女はインターホンに名乗った。

「梓です。お父さん、いる？」

しかし返事は返って来ず、インターホンからは微かなノイズが聞こえるのみ。

「おかしいな……」

父親がこの職場兼住居を離れることはめったにないのだ。それこそ年に数えるくらいしか。食料や日用品は配達させていたし、飼い犬の散歩も早朝と時間が決まっている。エントランス脇に駐車した、見慣れない青いステーションワゴンが気になり出す。

「どうしたの、いないの？」

「そうみたい……大丈夫かな」

梓は心配になってきた。健康自慢の父ももう還暦が近い。急に具合が悪くなったなどというのでなければいいが。

「中から開けてもらわないと入れないの？」

「普通の客はそうだけど。私は前に来た時に関係者の登録手続きをしたから通れるの」

ここへ来る途中の道で彼らを呼び止めた警備員も、管理人の身内だと説明すれば通してくれたのだ。

「じゃあ入ろう。何だか心配になってきた」

梁本も同じ事を考えていたらしい。ゲートに取り付けられたインターホン横にはテンキーがある。そこにIDと暗証番号を入力すると、フェンスと建物の間に設けられていたシャッターが降りてきて、番犬の出入口を塞いだ。しかしその番犬は未だ少しも姿を見せない。微かに聞こえてくる吠え声から、建物後方にいるらしいことはわかるのだが。

「一匹もこっちへ出て来ないのも変なんだけどな」

梓は呟いてゲートを抜け、梁本を従えて進む。

「あ、今の何？」

「あれは、エゾリス」

番犬の代わりに顔を出し、足元を走り抜けてゆく森の小動物に二人は一瞬だけ頬を緩めたが、それ以上の注意を払いはしなかった。

建物入口の階段を上がったところでガラスの自動ドアが開く。その内側にはまたしてもゲートと似たような操作パネルが設置されていた。

「さてと。悪いんだけど、ちょっと抱き上げてくれない？」

梓は左腕を梁本の項《うなじ》に回して言う。

「えっ、ここで？」

梁本は突然そんなことを頼まれる意図がわからない。梓の悪戯っぽい笑顔と上目遣いに照れながらもすぐさま脇と膝裏に手を回し、彼女を軽々抱き上げた。梓は右腕を差し伸べてなおも言う。

「そのままで、もっとドアに歩み寄って」

言われた通りにする。ドアの操作パネルにはゲートと同様のテンキーの他に、静脈認証用のカメラユニットがあった。指先に赤外線を照射するために、差し込み口の周囲に光を遮る黒いガードがついている。彼女が梁本に抱かれたままでＩＤを入力すると《ユニットに指先を差し込んでください》とのメッセージが表示された。その通りにすると数秒後、《認証完了しました》のメッセージと共に即座にガラスは左右に分かれ、彼らの通り道を開けてくれる。強化ガラスの自動ドアも梁本も、梓に対しては従順に振舞うというわけだ。

「なるほど。これで一人の人間として入れるわけか」

「お父さんに、あたしの体重が百キロも増えたと思われるのは癪《しゃく》だけどね」

ハネムーンよろしく最愛の女を横抱きにして進みながら梁本は、余計な一言を我慢できなかった。

「百キロだって？　九十キロは確かに僕の現体重だけど、あと十キロはもしかして君の純増分？」

梓は膨れっ面を作って見せながら、自分のしがみついている男の癖毛に手を突っ込んでくしゃくしゃに掻き回した。

「もう、可愛くないなあ」

20

柔らかい土の斜面を走り、フェンスに近付いたところで左側へ迂回する。開いたままの南側正面ゲートを入ると丹羽は方向転換して、バックで建物に着けた。

「急いでる割に余裕のあることで」

俺がからかうと澄まして答える。

「帰りはもっと急ぐかも知れないだろ？」

「まあ、そういうことだな」

車から降りようともしないうちだった。低い唸り声がして、それが複数の吠え声になり、訓練された番犬が何匹も走って来る。手足や腰周りの細い、サルーキという種類だ。大型犬の威圧感はないが、痩せ細った体軀に耳と尾の部分だけ長く延びた毛はどこか不吉な、悪魔的な印象をもたらす。辺りが夕焼けの朱に染まるこの時刻、より強いエントランスホール照明からの逆光に、浮かび上がったシルエットはひどく不気味だった。

こいつらはフェンスと建物の間隙を自由に動き、必要に応じてエントランス階段正面にも出て来られるよう、フェンスに沿って巡らされたスチールパイプにリングを通し、長いリードで繫がれている。正当な客ならゲート備え付けのインターホンから内部に来意を告げ、建物とフェンスの間の柵を閉じることで犬達を遮《さえぎ》ってもらうのだ。

今、そういう段取りを踏まない不審な客が接近するのを察知した犬達は、ここぞとばかりに一斉に正面側へ集まって来た。サイドウィンドウ越しに目が合った途端、ドアとの境に前足をかけて飛びかかってくるだろう。不用意に車を降りたりしたら、ぼろ雑巾のように食いちぎられるに違いない。

「門脇、まだドアは開けちゃ駄目だ」

「頼まれても開けたくないぞ」

言いながら丹羽はサンルーフを開ける操作をしている。

「でも用意だけはしててくれ」

彼は次に後部座席から金属製のケージを取り上げカバーを外した。ケージは結構な大きさだが内部は細かく仕切られており、茶色で耳の長い小動物が一匹ずつ入っている。全部で二十匹もいるだろうか。

「何だそりゃ」

「エゾリス。哺乳類げっ歯目栗鼠《リス》科」

そりゃいいんだが。そんな小動物をどうしようってんだ。

「こうする」

俺の疑問を見透かしたかのように丹羽は言うと、両手でケージを持ち上げてサンルーフから外へ出し、扉をみんな開放してしまった。たくさんの小さな生き物はシャワーのようにボンネットを伝い下り、見る間に思いおもいの方向へ走り去る。

栗鼠は犬よりもすばしっこく、フェンスの目をくぐれない程度には大きいのがミソだった。彼らにはまったく同情するが、運悪く建物とフェンスの間へ走り込んだ十匹ばかりは格好の獲物となり、俺達から番犬を遠ざけてくれる。

「今だ。急いで」

左右のドアを同時に開いて、丹羽と俺は外へ出た。大急ぎで階段を上って建物入口に駆け寄る。二重になった外側の扉は何でもない普通の自動ドアだが、そこを入ればもう繋がれた犬の到達できる範囲ではなかった。驚いた、番犬については任せろと言っていたが、まさかこんな手段を講じていたとは。

「丹羽です。ただ今エントランスに到着」

彼はトランシーバーを中井に繋いで楽し気に報告している。

「どうせなら地元犬の見たこともない珍妙な小動物にすればよかったのに。マングースとかさ」

そうすると丹羽は大仰に反論した。

「だめだよそんなの。生態系に悪影響が出るじゃないか」

とか何とか言いながら、口調は明らかに面白がっている者のそれだ。

「俺はてっきり犬を手なずける算段をしてるんだと思ってた。ほら、調教師を当たるって言ってたから」

「嘘は言ってない、調教師には相談したよ。栗鼠のね」

わかった、お前が正しいよ。そんな商売があるっていうならな。俺と丹羽は遠屋敷会長の静脈データを仕込んだ人工掌を取り出して、それぞれ登山用靴下を脱がせにかかった。

「やだなあ、これ。何度見ても気持ち悪いよ」

「そうか？　力作じゃないか」

強化ガラスの内部ドアと対峙する。中央の合わせ目の胸の高さ辺りに、ステンレススチール製の操作パネルが埋め込まれている点を除けば、この場所の外観は普通のビルのエントランスとあまり変わりがない。パネルにはID入力用のテンキーと、指先を差し込む部分に黒い覆いのついた近赤外線カメラユニットが並んでいた。

やがて丹羽のトランシーバーに中井からの返信が入る。

「――うん、わかった――門脇、位置確認は済んだらしい」

「よし」

PDAを確認している丹羽を尻目に、俺は人事部から入手したデータ通りに遠屋敷会長のIDを入力する。ディスプレイに《ユニットに指先を差し込んでください》とのメッセージが表示された。さてお立ち会い。カメラユニットに人工掌のグロテスクな人差し指を差し込む。とても長く感じられる数秒間が過ぎ、《認証完了しました》の表示と共に自動ドアが音もなく左右にスライドする。

やった！　少なくともこの認証システムにとって、今俺は遠屋敷一眞本人に見えているというわけだ。俺と丹羽は快哉を叫びたかったが、犬や管理人などの手前、顔を見合わせて精一杯ニヤつくだけに留めておいた。

　俺が中に入った後に続いて、丹羽がまったく同じ操作を繰り返して入って来た。予想した通り、遠屋敷会長が二人存在してもノーチェックだ。システムの馬鹿さ加減に俺達はいよいよ笑いを噛み殺したが、別に驚くほどのことじゃない。同一人物の特定を厳しくし過ぎると、入館時ばかりか出館時にもチェックの必要が生じるなど運用が煩雑になる。そういった理由から、システム上は個人特定を設定できるにもかかわらず、使用しないでいることが多いのだ。

　煌々と照らされて静まりかえったエントランスホールは、図面通り大きな吹き抜けの空間だ。エレベーターホールへの通路を塞ぐように、中央正面に受付用ブースがあった。回り込んでみたがもちろん無人で、綺麗に片付けられたカウンター内にはパソコンすら置いてない。

　通り過ぎざまに上を見て、二階と三階にコの字片に巡らされた回廊を視野に収めると、例えば回廊の下側、奥へ伸びる廊下入口付近の天井などにそれはあった。テレビカメラである。青いテープの印が付いたのと、黄色いテープのが一台ずつ。振り返ると今入って来た入口上方の構造梁にも、ドア付近を狙う角度で同型の一式が設置されていた。

エレベーターホールを兼ねた中央廊下を奥へ進み、突き当たりを左へ折れる。最初に目差すのは喫煙室だ。目当ての各種回線へのアクセスはしかし、そこからはできない仕様になっていた。ならば仕方がない。次は管理人室へ回ろうと引き返す。

「図面の電気配線や壁の厚さからすると、管理人室への出入りは電子的な認証システムをかませていないと見た」

「うんうん」

「俺に言わせりゃそういうのはあんまりよろしくない。防犯てのはバランスが肝心でね。一ヶ所をいくら強固にしたって他に弱いところがあれば、そこを狙われてしまう。外側の戸締りだけを厳重にするのじゃなく内部の各部も同レベルにすれば、たとえ侵入されても好きに動き回られずに済むんだが」

俺達二人は建物東側、エレベーターホールの裏にあたる管理人室に着くと、入口の両側の壁にぴったりと背を付けて立った。何の変哲もないドアには、確かに大げさなロックの類は見当たらない。ドアノブの側にいる俺は囁く。

「いいか、開けるぞ」

丹羽が無言で頷くのを待って、俺はノブを摑むとゆっくり回す。施錠されていないことがわかると後は勢いよく引き開けた。部屋の中に飛び込んで、素早く左右を確認するが。

その生活感溢れる小部屋には誰もいなかった。奥のデスクに置かれた四台の切替式の監視用ディスプレイには、まるで静止画のような廊下や階段の様子が映し出されている。つけっ放しのテレビからニュースの音声が小さく流れ、古びたスチールデスクの上の湯呑茶碗からは微かに湯気が立ち昇っている。

「管理人、どこへ行ってるんだろう？」

丹羽が素直な疑問を口にする。

「さあな。外回りの仕事か、単にトイレとか、それとも……」

「それとも？」

「いや。俺達がここを襲撃するとわかっていて嵌めようとしてるのかも、なんてことを考えた」

「まさか」

しかし社内名物のあの管理人をよく知る俺にとってはまんざら冗談でもないのだ、これが。辺りの様子からして、部屋の主はほんの少し前までここにいたように、かつあまり長い間留守にする気はないように思える。落ち着かない気分のまま俺達は今度は室内側で、扉の両脇の壁に張り付いて彼の戻りを待った。

21

薄闇の中、圧搾空気の噴出音がして、怯えた犬が飛びのく。エアガンでフェンス越しに番犬を狙い撃ちしているのは透だった。甲高く鳴いて逃げ惑う様子を、破風崎と棟安は乗りつけたワンボックスカーにもたれて高みの見物と決め込んでいる。まるでこういう半端な仕事は新人に任せておけば充分だとでもいうように。

「驚かすだけにしとけよ。可哀想だ」

咥え煙草の棟安は大振りのサバイバルナイフを取り出した。この物騒な得物で、犬達が繋がれているリードを切って追い払おうというのだ。

「わかってるよ。ちゃんと足元の地面を狙って当てないようにしてるから」

それだって充分可哀想だけどな。透はしかし、内心の想いを口にはしない。元より誰も傷付けずに済む仕事ではないから。それに透にだってわかっている。自分の後ろにいる男達なら、本当に危険な局面ではどんな非情なことだってやるだろう。そうまでしてでも、自分と仲間を死守する覚悟ができている。同じ重さを引き受けられるようになるまでは、少々納得いかなくても今できることをやるしかないのだ。

盗まれた宝石が発見されたという報道はなかった。簾並やその仲間が先に回収した場合に備えて、主だった買い手グループにはそれとなく網を張っておいたがかかってはこず、取引先から引き渡しを急かされただけだった。破風崎は透が写真に撮った伝票の送り先、セキュア・ミレニアムの研究所がどういう施設なのかを知ると、あらゆる角度から調べ上げ、侵入する方法を検討した。最初から強硬手段に訴えても構わなかったのだが、内部でじっくり捜し物をしなければならないという都合のために、侵入自体は気長で穏便な手段を採ることに決めた。すなわちこの企業の主催する風変わりなイベント《ブレイクスルー・トライアル》に一般参加申込をするという。

もっとも審査を通過し当日スタートを切ってしまえば、律儀にルールを守る必要などない。五億にもなるダイヤを回収でき次第、競技を投げ出して逃走する予定の彼らは設備も建物も破壊しまくるつもりで、大小様々の火器さえふんだんに持ち込んだ。

彼らのダイヤモンドに最も近い男である管理人のことも調べた。研究所内に住み込んでいる。社員なのかと思ったらそうではないらしい。

「なあ破風崎。必死になって侵入してみればその爺さんが、もうとっくにダイヤを換金して貯め込んでたってオチじゃないのか？」

番犬のリードを全部切断し終えた棟安は、そんなことを言い出した。口調はとぼけているがもっともな疑問だ。

「まずない。あれだけのダイヤを素人がそう易々と処分できるとは思えんからな。それに万が一換金されていたとしても、その金を吐き出させるだけのことだ」

「なら、あそこから出て来た時に摑まえて絞め上げればいいじゃないか」

透までが口を挟んだが、その方法は断念せざるを得なかった。数週間に及ぶ観察を続けた結果、老人が研究所の建物から出て来るのは車道に最も往来のある朝、飼い犬を連れてする短い散歩以外にめったにないことがわかったので。

鼻先の地面を透がもう一通り掃射すると、自由になった番犬達は我先にと遠くへ走り去った。三人は悠々とエントランス階段を上る。破風崎はそこで立ち止まって小型のトランシーバーを取り出した。

「《蛙《かえる》》、入口に着いたぞ」

「了解。位置合わせをするから、ちょっとの間静止していてくれ」

交信相手は今回仲間に加わった技術屋だ。倉庫や研究室など、トライアルに関係のない領域にまで押し入るつもりでいる彼らにとって、渡された競技用の図面では不充分極まりない。破風崎はそういう時に相談する技術屋を何人か当たり、その中からネット上で《蛙》と呼ばれる若い男に仕事を依頼した。

「――破風崎さん、もういいよ」

返って来た蛙の声に、破風崎は手元のＰＤＡ端末を確認する。そこにはＧＰＳ経由で送られた自分達の位置を示す光点が赤く表示されていた。

「あいつは信用できるのか？」

交信を切るのを待っていたように棟安が不満をもらす。蛙は聞くところによれば引きこもりの若者で、棟安や透はおろか破風崎にも直に会おうとしない。そんな奴を仲間にするなんて軽率じゃないのか。自分の事を棚に上げ、透でさえ思う。そもそもここまでやって来なければならなかった原因が簾並という協力者の裏切りであったこともあり、棟安が嫌がるのは当然と言えた。

「前に一度仕事をしたことがある。腕は確かだ。ただ……」

棟安は腰だめに構えたウージーのストラップを肩にかけながら訊き返した。

「ただ、何なんだ？」

「いつもなら遠征を嫌がって、こんな仕事は受けない奴なんだ。それなのに今回はなぜか引き受けた点が妙だ」

《蛙》は敷地境界線向こうに車を停め、その中から彼らの位置を発信する手筈になっている。二人のやり取りを聞いた透は視線を遠く車道上のキャンピングカーへ向けた。

そのキャンピングカーの中では。

「――破風崎さん、もういいよ」

中井は緊張しながらの交信を終えた。物騒な装備を山のように持ち込んでいるのだろう、ほんのわずかな通話の間にも、背後で金属の触れ合う音が容赦なく紛れ込んでくる。何しろあいつらは正真正銘の悪党で、自分みたいな善良な市民とはまったく違う。だから用心のためハンドル名しか明かさず、仕事は誠実にきっちりこなし、顔を合わせるのを極力避けてきたのだ。

車内は作業に集中しやすいよう、明かりを落としている。中井は一息ついてインスタントコーヒーを啜りながら、並べて置いた二台のノートパソコンを眺める。ディスプレイの片方には門脇と丹羽を表す緑の光点が二つ、もう片方には破風崎を表す赤い光点が一つ。

中井はこの位置情報取得システムや静脈認証用の人工掌など、今回のトライアルで開発したもろもろの成果物を後に高値で販売することに決めていた。テストユーザーは多数あった方がいい。というわけでネット上で募った結果、このトライアルにエントリする十二組のうち、彼が何らかの技術支援を行っているチームはゆうに五組にも及んでいる。中にはこんな風に同日に鉢合わせしてしまったチームもあるくらいだ。ただそれぞれには多重契約のことを告げていないので、相当に上手く立ち回らなければならなかった。

特にあの破風崎という男。諦観に満ちた風貌の裏に実に鋭いところがあるのを、前に仕事した時の経験からよく知っている。観察力も洞察力も人並外れていて、同じ事実から何倍もの情報を得るタイプだ。頭が切れるのは門脇なんかも同じだが、何を考えているかわからないという点で、破風崎は特別だった。中井はだからパソコンもマイクも二チーム別々に用意し、位置確認の表示も色を変え、混乱を招かぬよう細心の注意を払う。気をつけよう、上手くやれるはずだ、落ち着いて対処しさえすれば。

破風崎は経験から知っていた。平和なこの国の警備システムは結局のところ、火器を装備した本当の意味で強引な侵入者を想定してはいない。こうした精緻で手の込んだ認証システムも、所詮は二十四時間常駐の警備員が駆けつけて問題解決することを前提にした心理的な関所に過ぎないものが多いのだ。

だからエントランスのドアロックを物理的に解除するにはさほど時間を要することもないと想定していたのだが。さっきから棟安と透が拳銃弾の集中砲火を浴びせ、もうかなりの時間と弾数を浪費している。だが操作パネルと接地部金具の表面はすでに穴だらけになりながらも、機構としては原型を保ち、しっかり閉じたままなのだ。どうもおかしい。これまでに経験した他のドアロックに比べて、妙に強固な造りだ。

「一旦止めろ」

片手を上げて二人を制し、破風崎は歩み出た。強化ガラスの扉に足をかけて揺さぶってみるがびくともしない。自分でも拳銃を抜いて設置部金具の要所を狙い、五、六発撃ってみた。しかし。よく見ると設置部金具は床のセラミックタイルの厚みよりもかなり深いところで刻まれた溝上のレールに乗っており、つまりタイルとその下のモルタルをその深さまで穿たなければ、ドアはレールから外れないのだった。

「どうなってる？　何でこんなに頑丈なんだ」

大抵のことを面白がってやる棟安も、生真面目な透も、さすがに辟易している。

「特別設計らしい」

短く答えて破風崎は二人の間を通り、乗って来たワンボックスカーに歩み寄った。

「あれを使うのか？」

「そうだ」

車内の床に置いてネットで固定し、防水シートをかけて隠してあったそれは。ライフルよりも長尺の発射装置と先の尖った弾頭からなる、旧ソ連軍歩兵部隊の対戦車攻撃用携帯ロケットランチャー、ＲＰＧ７である。近年では対空攻撃にも有効な誘導武器類に最新鋭の地位を奪われたが、建物等の近接した静止目標に対してなら充分に効果を発揮する、世界のテロリスト御用達の火器だ。むしろ操作が容易な点では、この場合における最適解と言えた。破風崎はこれを、宝石のみならず麻薬から兵器まで取り扱う上海の取引先から、ダイヤ一粒の先渡しと引換えに流してもらったのだ。

「いいのか？　ここぞという時の一発しか用意してないんだろ？」

「今がその時だ。お前がやれ」

言われて車内へ踏み込んだ棟安は、シートの下の火器を恐るおそる、だが嬉しそうに担ぎ上げた。砲身から突き出る弾頭も含めると重量は六キロ以上、全長は一メートル近くにもなる。大柄な棟安でさえ、取り回しにはやや手こずっているようだった。

「後ろから火を噴くぞ、横へ回ってろ」

透を遠ざけて後方にスペースを開けると、破風崎は指示を出した。

「床をえぐるようにやや下方を狙う」

オープンサイトを覗いて狙いを定めていた棟安はその通りに構え直した。

「撃て」

ひと思いにトリガーを絞る。砲身から後方へ噴射炎を発し、大型弾頭は風切音を上げてエントランスに吸い込まれていった。続いて起こる盛大な爆発。棟安は拳を握り締めて歓声を上げる。

「ッひょオ！」

「すげえや……」

透は呆然と見ているばかりだった。爆煙がまだ収まり切らないうちに破風崎は次の指示を出す。

「砲身はその場に捨て置け。行くぞ」

「弾がこれっきりとはいえ、使い捨てかよ。リッチだねえ」

エントランスの床はモルタルの層まで深くえぐられ、強化ガラスのドアは跡形もなく砕け散っていた。破壊は戸口を入った先も数メートル奥まで続き、熱と爆風は受付用ブースにより辛うじて食い止められたのであろうことが、その表側に付いた焦げ跡からわかった。

「ここまでするかね？」

棟安はまだ興奮冷めやらぬ様子だ。警備システムの設計者は肝に銘じるといい。こういうのが、本当の意味で強引な侵入者というものだ。

「急げ、後ろのチームに追い付かれるぞ」

破風崎は気を取り直して先を急がせた。それも当然で、ここへ入るまでに時間を取られ過ぎていたのだ。破風崎だけが立ち止まってトランシーバーを《蛙》に繋ぐ。

「これから建物内へ入る。図面の空白を埋められるよう、せいぜい動き回るからそのつもりで」

「――了解。最初は壁際を歩いてくれると効果的だ」

微かなノイズ混じりで返される応答を聞きながら、三人はタイルの破片や粒状に割れたガラス屑を踏み越えて建物奥へ歩を進めた。

22

地下倉庫の片付けを済ませて階段を上がって来てからというもの、外の番犬がやけに騒がしい。さっきはやたら攻撃的な吠え方をしていたのがようやく収まったと思ったら、まただ。今度は弱々しく甲高い鳴き声で、まるで痛めつけられて命乞いをしているように聞こえる。番犬の発する音としては後者の方がより問題が大きいので、草壁は新聞を読む手を止め、外へ様子を見に行くことにした。

建物北側の裏口から外へ出ると、番犬はいなくなっていた。何者かによってリードが切られたらしいのだ。何があったというのか。夕闇と冷え込みの中、草壁は建物とフェンスとの間の隙間を伝うように時計回りに東側へ歩いた。遠方に視線を転じると、小高い土手になった車道の上に何台もの車が停車しているのが見える。すると今日はまた、例の防犯訓練が行われる日だろうか。

そう思った時だった。南側がにわかに騒がしくなる。今度は犬の鳴き声ではない。断続的に発する破裂音、それは銃声だったのだ。所々で鳴り止む時には男達の話し声が混ざる。

この非常事態に草壁は、さっきまでとは違って足音を忍ばせ、用心深く南側へ向かった。今いる東側のタイル張りの壁が途切れ、正面から回り込んできている強化ガラス壁が始まる地点で立ち止まる。こちら側は暗くエントランス側は明るいため、そこからなら相手に気付かれずに観察できそうだったからだ。ガラス壁のコーナー越しに慎重に顔を出し、銃声の主の姿を窺う。

視界の範囲に三人。華奢な身体つきの若者が両手で拳銃を構えている。その隣では背が高く長髪の男が、サブマシンガンを撃ち続けていた。少し離れて痩せた中年男が立っているが、拳銃を腹のベルトに挟んだまま撃とうとはしていない。

「一旦止めろ」

四十男が言い放って撃つのを止めさせる。その後でさらに数発が発射された。

「どうなってる？　何でこんなに頑丈なんだ」

「特別設計らしい」

彼らはエントランスを破壊しようとしてこずっているらしい。

「あれを使うのか？」

「そうだ」

三人の姿が遠ざかって行った。乗って来たらしいワンボックスカーの傍で何やら相談している所を見ると、爆破か、車での体当たりか何か、さらに過激な手段に訴えようというのだろう。

草壁は侵入者の観察を切り上げ、来た時と同様、いやそれ以上に慎重に後退した。来た道を逆に辿り、急いで裏口まで引き返す。ひとまず管理人室へ戻らなければ。敵は三人、全員が銃で武装している。こちらはたった一人、管理人室に置いてある猟銃だけが頼りだ。

管理人室の前まで来た時だった。

建物全体を揺るがす轟音が湧き起こり、ガラス壁がビリビリと振動した。

まさか、本当に爆弾を使ったのか？　一瞬迷いが生じたが、エントランス側へ確認しに行くのは思いとどまる。何者だというんだ。防戦できるか？　いや、やらねばなるまい。

草壁にはもう一つ、非常に気がかりなことがあった。先日の電話によれば、今日は梓が訪れる日ではなかったか。早く娘に連絡をつけ、この場に近付くなと言い渡そう。どうかまだ到着していてはくれるなよ。念じながら、扉を開ける――。

急に襲ってきた強い力によって、草壁は肩を掴まれ引き倒された。はずみで湯呑茶碗が倒れ、茶が流れ出る。そのままデスクの上へ上体を押さえ込まれ、扉の影から出てきた男と二人がかりで両腕を後ろへ捻じ上げられる。わずかの間の出来事だった。

「驚かせてすいません」

「あ、少しだけじっとしててくださいね」

この侵入者達はさっき外で見た三人のどれとも違う。あの連中の仲間なのか？

23

「お父さん――？」

声をかけて少し待ったが返事がない。まずは草壁に梁本を紹介しようと思って管理人室まで来てみたが、そこには誰もいなかった。テレビの天気予報や、湯呑茶碗と広げた新聞の生活感が梓を少なからず安心させる。日常的な光景に異変は何も感じられず、彼女の父親はほんのちょっと用足しに出ているだけなのだと思われた。

「ここで待ってようか」

梁本は神妙な面持ちでそう言ったが。

「うーん、先にダイヤを探しに行かない？」

梓はこの隙にとばかり、エレベーターで地下倉庫へ行ってみることにした。そこに荷揚口があり、トラックなどから降ろされた大型の荷を、スロープを使って運び込めるようになっているのを知っていたからだ。何ヶ月も前に展示会から送り返されて来た荷がそのままになっているかどうかはわからないが、まずは確認を。

倉庫の扉は施錠されていなかった。内部は最初は暗かったが、すぐに壁の照明スイッチを見つける。地下一階のほとんど丸ごとを占めている倉庫内部は、がらんとしているのではないかと思いきや、壁際を中心にかなり多くの箱や機材が積み上げられていた。梁本は試しに手近な箱に貼られた伝票を確認したところ。

「これなんて見て。今年一月の日付だよ。展示会は三月だけど、その頃より前の荷が未だに積まれたままになっていることになる」

ということは、三月のものまだここにあるかも知れない。

「あ、待って。依頼元から借りたあれを出すから」

梓が鞄から取り出したのは、携帯電話よりひと回り大きいサイズのハンディターミナルだった。スイッチを入れると小型の液晶画面に《READ STAND BY》の文字が表示される。

「渡された時には、本当に使う機会があるなんて思ってなかったけどね」

依頼元の生産者組合の担当者によると、盗まれたダイヤモンドは裸石の状態で一つ一つパウチされ、それぞれにICタグを貼付されているという。それを聞いた彼女は生産者組合で採用している読取装置を借り受けて来ていた。コードレス・ハンディターミナル型のこの装置は、三メートル以内に同規格のICタグがあれば反応を示すとのことだった。

「でももうパウチから出されていた場合は当然、反応なんてしないわけだろ？」

「そう。だけどあの生産者組合が品質管理に力を入れているおかげで、最近の業界では登録企業の商品がとても高値をつけるらしいの。一種のブランドとして、たとえ盗品であってもタグを付けたままで取引される例が増えてるみたい」

「なるほどね」

梁本が納得を示したちょうどその時。果たせるかな、装置はごく小さなアラーム音を発した。

「今のって――」

「やっぱり、聞こえた?」

「表示は?」

「《READING》だって、間違いない!」

二人は小さな液晶ディスプレイに額を寄せ合って狂喜した。さらに表示されている数字の羅列を、これも依頼元から持たされた被害商品リストと照会する――何十件もの数字の羅列の中に――あった! それは確かに依頼元から盗まれたダイヤモンドの商品コードに間違いなかった。

「ダイヤがあるんだ。この周囲三メートル以内に」

梓は確信した。だが高揚の中に一抹の不安が寄切る。まさか、あの父が横領したなどということは。そうは思いたくないが。

「あった、これだ!」

梁本と梓は二人で手分けして倉庫内の荷を探し、ついに展示会帰りの荷を発見した。

それは運送会社富士ロジスティクスのプラスティック製簡易コンテナで、ラベルの日付、発送元ともに間違いない。マジックテープの上蓋は、痕跡を残さず何度でも開閉できる方式だったので、さっそく開いてみる。

「おかしいな——特にそれらしきものは見当たらないよ?」

「本当に?」

梓は自分でも覗き込んで確かめた。箱の中は枠状の梱包材に中身の機材がきっちりと納まっていて、余分のスペースがあるのはわずかに上部だけだ。つまり蓋を開けたところに何もなければ、その他に何かを入れる余地はまったくなさそうなのだ。

「どうしようか……」

思案顔の梓に粱本は、ここへ来ることに決まってからずっと言おうと思っていたことを口にした。

「お義父さんに訊こうよ」

「でも」

「例えばこういうシンプルな解決はどうかな。お義父さんは展示会帰りの荷の中にダイヤモンドを発見する。だがそれがいわゆる宝飾品であるというよりも、技術的な目的を持つ工業製品であるとか、何かのサンプルであると考え、研究所にあってしかるべき物だと判断したため、届け出もせず保管している」

梓は考え込んでいるようだった。よした方がいい、考えたって結論の出ることではないのだ。

「……こんなに長い間？」

「そう。じゃあもう一つ、これはどうだろう。お義父さんは荷には手を触れず、梱包を解いたのは研究員だった。お宝を見つけた研究員が横領、隠匿したのであって、お義父さんは何も知らない」

「うーん……」

「どちらの場合にも、お義父さんは少しも悪くないんだよね」

そうであればいいのだが。

24

電化製品のコードなどを締結するプラバンドで管理人を後ろ手に拘束しながら、俺はできるだけ穏便に、強盗っぽくならないように配慮して話した。

「えー、すでに聞いていらっしゃるとは思いますが、私達は御社のセキュリティシステムをテストする目的の競技に参加し、ルール通りに行動して優秀な記録を得ようとする者です。いかなる意味においても犯罪者ではありませんので御安心ください」

同時に足を結わえていた丹羽が慌てて付け加えた。こいつもできるだけ誠実に、詐欺師っぽくならないように気を遣っているとみた。

「ええと、ですけどあくまで本物の泥棒のように取り扱ってくださいね。そういうルールなので」

これらのある意味滑稽な説明を聞きながらも、草壁は厳しい表情で口を引き結び、ずっと押し黙ったままだった。多くの人間が訓練や演習の際に見せがちな、照れたり馬鹿にしたりという態度を一切取らない。それが表すものはこの老人の職務へのただならぬ忠誠心でもあり、絵に描いたような一徹でもあり、いずれにせよ大したもんだと俺は素直に感じ入った。

「よし、始めるぞ」

俺と丹羽は手分けして電話線とパソコンの通信回線を切断する作業に取りかかる。とは言っても監視用と記録用のカメラのケーブル束や、館内放送回線などには触れてはならない。しかしこの研究所の電設周りは本社ビルと一括で発注したらしく、営繕担当だったこともある俺にとって各回線の仕様は見慣れたものだった。

「あ、これをどうしようか」

「何を？」

「パソコンのスロットの通信カードさ、念のため抜いて持って行くことにしない？」

「そうしよう」

丹羽はそれをポケットに納めた。草壁が何か言いたそうな顔をしているのを見て、俺はついまた話しかけてしまう。

「あ、すみませんが、猿轡《さるぐつわ》もさせてもらいますよ。競技の期間中は常駐の研究員はみな不在だし、まして建物内外の声の届く範囲に貴方以外の人間が待機していたり、偶然通りかかったりすることはごく稀《まれ》でしょうけれど。それでもです――」

老人は俺が取り出したタオルを大人しく噛んでくれた。丹羽はテレビのスイッチを切り、俺はストーブとガスコンロを確認する。

「苦しくないですね？　寒いとは思いますが、火の元は始末して行きます。色んな意味で危険ですから」

いかん。どうも解説癖がついてしまったようだ。そんな必要はどこにもないのに。

「それじゃ、行くぞ」

管理人室を出て扉を閉めると、丹羽が気の毒そうに言った。

「あんな風に拘束までしたのはちょっと大げさだったかもね。言い聞かせるだけでもよかったんじゃ？」

「馬鹿言え。お前は知らないからそんな風に思うんだ。あの管理人の仕事熱心なことといったら。ああでもしとかないとこっちの命が危険ってもんだ」

「そうかなあ」

わかっちゃいないな。外部から警備員の駆けつける可能性が予め除外されているとしたら、一番の難関はあの管理人ということになる。何しろあの熱血爺さんときたら、度を越して職務に忠実な上に、猟銃免許まで持ってやがるという噂だから——あ、しまった——今さらながら俺は思い当たった。管理人室にあったスチールロッカー、あの中身はどうやら掃除道具ばかりってわけでもなさそうだぞ。

25

いざ梓を連れて管理人室の前まで来ると、梁本の胸中にはまた別種の緊張が蘇った。半ば暗記してきたような挨拶の言葉を唱え直す。さっき不在だった管理人はもう戻って来ているだろうか。梓がまた扉の外から声をかけた。

「お父さん、いる?」

依然応答はなかった。ただ、さっきと違う点は、中から物音がすることだ。何かを引き摺るような音、壁か床にぶつけるような音。そしてドアを開けた室内の様子も、さっきとは明らかに違っていた。

「お父さん!」

ドアを開け放つと、テレビや暖房が切られ静まりかえった空気の中に、目つきの鋭い小柄な老人がいた。猿轡を噛まされ、床に座り込んだその姿はおよそ日常的でない。投げ出した足と後ろに回した腕も拘束された状態で、彼は壁際へ向かって移動しようとしていた。

「どうしたの……泥棒?」

梓は駆け寄って口からタオルを外した。

「——そういうもんじゃあない。臨時の防犯訓練が始まっただけだ。お前達はこのまますぐ帰りなさい」

「防犯訓練?」

梁本と梓は顔を見合わせた。

「まさか。訓練でこんなこと……」

「いや、この研究所では不定期で度々行われる。それに付き合うのも仕事の内だ。さあ危険だから、部外者はこの建物から出るんだ」

「本当の事を言って」

梁本は梓のこういう顔をこれまでにも見たことがある。それは、自分を軽く見ている相手に対する怒りの表情だった。

「あの、とにかく手足を解いてあげてさ、それから――」

「待って」

毅然として言い放つ梓に、梁本も、床の上の草壁も、一瞬動きを止めた。彼女は数歩歩いて梁本に向き直り、自分自身にも言い聞かせるように重々しく、しかし抑えた声で囁き始める。

「世の中には人里離れたこんな所でわざわざ防犯訓練をする、物好きがいるのかも知れないけど。私はそれよりもダイヤ目当ての人間の仕業だと思う」

「……それって、逃走中の犯人とか？」

「そう。お父さんが隠し場所を教えなかったからこんなことをした」

「まさか」

梁本は梓の背後の床で今も拘束を解かれないままの、草壁の様子を窺い見た。どうやら彼らの行動にあまり関心がないのか、しきりと身体を動かして自力で手足の自由を取り戻そうとしている。

「違うと思う？」

「そりゃあ……」

梁本にとって初対面の草壁という老人は、ダイヤモンドに目が眩むような俗っぽさなどとても持ち合わせていなさそうに見える。その反面、発見しても無視を決め込む可能性はなくもなさそうだ。

「そうだったら、今解くのは得策じゃないでしょ。さっきはお父さんに事情を話して許可を得ようと思いかけたけど、そうしない方が良さそう」

なんて冷たい、いや冷静な女なんだ！　梁本はかなり呆れた。偏屈な男親に育てられたせいか？　あ、これは失言かな。

「私だって一刻も早く解いてあげたいけど、もう少しだけ待ってもらうことにするから、剛は傍についていて」

「君はどうするつもりなんだ？」

「他の場所を探してみる。あるのは間違いないんだから」

驚いたことにこの非情なる娘は、本気で父親を疑っているのだ。ひどすぎる。

だが梁本には彼女が考えていることの健気な側面も想像できた。信じたくはないが万が一父親が横領したのであれば、その事実を最初に突き止めるのは自分でありたい。そうすれば手の打ちようもあるではないか、と。その場合には自分が事の収拾をつけようとしているのだ。

「君がここにいて、僕が探しに行くっていうのはどうかな？」

「ダメ。建物の外へ出る必要が生じた場合、私じゃなければそれきり入って来られなくなるでしょ」

筋は通っている。それに決意は固いようだった。梓は部屋を出る前、梁本にもう一度を念を押した。

「くどいようだけど、拘束を解かないでね。それと、私が戻って来るまで警察も警備員も呼ばないこと」

草壁は娘の仕打ちを気に留める様子もなく、梓に言い渡した。

「ここへ戻って来るんじゃないぞ。できるだけ早くこの建物を離れろ」

梓は父親の言葉をまるで意に介さず、草壁に背を向けた。

ああ、何という頑固者——の親娘。お互いに思いやってはいるのだろうが、それにしても相手の言うことを聞こうとしなさ過ぎる。

結局は梓を見送った梁本が草壁の方に向き直ると、老人はにじるようにして少しずつ身体の位置を変え、両足を同時に机の下に突っ込んで奥の壁を蹴り始めていた。

「あの、申し訳ありませんがもう少しだけ待ってください。どうか静かに」

そういえば自己紹介する暇もなかったのだ。それまで黙っていた老人は、梁本の存在にたった今気がついたかのように気のないそぶりで返答した。

「ああ、あの娘の言ったことに関係なく、拘束を解いてくれる必要などないぞ。わしに構わんでいいから、あんたももう出て行きなさい」

26

「うわあ。これってどうなってるの？」

階上を目指そうとエレベーターホールからエントランス方面を眺めた丹羽は、その惨状に驚きの声を上げた。俺はさっき管理人を待ち伏せしている時に聞こえた爆発音を思い出す。

「いやひどいもんだ。他チームに度を越して物騒な連中がいるんだろうな」

ほんの少し前に俺達が破って侵入した精緻なバイオメトリクス認証システム一式は、

強化ガラスのドアとともに跡形もなく吹き飛ばされていた。野蛮極まりない。だがこれはある意味正しい方法論だと言える。守る側のセオリーに、攻める側は必ずしも付き合ってやることなどないのだから。

「爆弾でも使ったのかな」

「その類だろう」

好奇心に駆られてつい焼跡を見物していた俺達の背後に、奇妙なアラーム音が届いた。エレベーターホールの向こうからやって来るそいつが何であるか俺は即座に見てとり、傍らの丹羽に一言。

「来た」

「あれがそうか」

それは俺が持ち帰ったマニュアル通りの外形と仕様を備えたセキュア・ミレニアムの新製品、直立自走型警備ロボットＳＱＲ－05だった。

高さは大人の胸くらい、全体の印象は数個の三角おむすびに載った戦車みたいだ。基本塗装しか施していないのか、色は地味なガンメタリック。

頭部にあたる丸い制御部にはセンサーとスピーカー、マイク、カメラなどを備え、前面の少し窪んだ操作域に小型液晶パネルとテンキーが配置されている。両腕に相当する湾曲したステンレス製アームはシートベルト状の締結具を装備し、その内側に抱え込んだ者を一瞬にして拘束することができた。

重心を低くすることと、間隔、角度を変えられる五種類のクローラーを複雑に組み合わせて駆動部の底面積を調節することで抜群の安定性を実現している。こいつは立っているくせにゾウガメよりもひっくり返しにくいのだ。マニュアルを見て丹羽は二足歩行じゃないんだね、と残念そうに言ったがそりゃそうだ。安定性が全然違う。

「間違いなく新製品だな。先日の展示会で経済産業大臣に御披露目することになってたのと同型だ。もっとも展示用のは、もっと明るい色に二次塗装済なんだが」

自走式の警備ロボットにはこれまでにも受付や案内などを兼用するものがあったが、肝心の警備はといえば不審者に警告を発しながらセンターに通報する程度が関の山だった。対してこの新製品は不審者の強制排除機能を備えている点が画期的で、それだけに実用化に際しては、安全性と有効性画面の他に法制面でも慎重な検討が加えられたという。

タグ付きIDカードの着用による信号を検知できず、かつ呼びかけ時の暗証番号入力による関係者確認ができない場合に警告メッセージを発し、従わない相手に対しては一定時間を置いた後に排除行動に移る。一定時間とは基本設定でおよそ十五秒、排除行動とはスタンガンの使用や、可動腕から繰り出されるベルトによる上腕部・下腕部及び腰部・下肢部の三点拘束などである。

自動充電式のリチウムイオンバッテリー搭載、クローラーで階段も上り下りできる他、配備された建造物のエレベーターを操作したり、二台以上三十二台までの連携行動も可能だ。その他オプションとして防災機能もあり、簡単な消火活動や救助活動が行える。

俺達はそいつの異様さに見とれていたが、後ろにまだ何台も続いているのに気付いて我に返る。先頭のはもう五メートル程に近付いて来ていた。すると。

『侵入者発見、侵入者発見。IDカードの提示または暗証番号の入力を行ってください』

明滅する光と共に発せられた警告メッセージは、予想したような合成音声ではなく、警備会社有志が読み上げたかのような朴訥《ぼくとつ》な男の声だった。やや拍子抜けしながらも身の危険だけは感じる。

「何だか間が抜けてるなあ」

丹羽の美意識には適わなかったらしい。

「とぼけた外見に油断するなよ。奴らの冷酷かつ執拗な追跡ぶりを見たら、そういう気も失せるぞ」

「擬人化するのはよせよ。これホントに強いの？」

「そうとも、真面目に逃げよう。さもないと捕まってゲーム・オーバーだ」

「ええっ、マジ？」

いまひとつ真剣味の感じられない丹羽を急き立て走り出す。

「とにかくあの警告を聞いたら十五秒経たないうちにその場を離れること。センサーの範囲は約五メートルだから、一旦引き離せば次に感知されてからまた十五秒カウントし直しになる」

「わかった」

「注意すべきは奴らのどれからも同時に五メートル離れるということだ。それぞれの個体はデータ連携してるからな。ともかく吹き抜けまで行こう」

吹き抜けまで行けば――エントランスの破壊の余波が一部に及んではいるが――どうにかなる。と、思う。丹羽が後ろを振り返って悲鳴を上げた。

「うわっ、結構速いや」

当然だ。改良に改良を重ねて高速移動できるようにしたからな。そのくせあいつらは周囲の壁や追跡対象やお互いに、決して衝突したりはしない。人間の走る速さでの制御を確実にしたからこそ、晴れて商品化の運びとなったわけだ。

「受付カウンターに飛び乗れ！」

俺は叫びながら自分が先にそうした。カウンターは外側の高い所が床から百二十センチくらいで、その上に立つと三メートル弱。手を一杯に伸ばすと、庇のように張り出した二階回廊側面の突起、スプリンクラー水栓に辛うじて手が届いた。その上方五十センチばかりに二階の床があり、手摺《てすり》の鉄棒が等間隔に生えている。俺は鞄の中から取り出した色々なフックから形の合いそうなものを探した。

「使えそうなのある？」

丹羽も続いてカウンターに上り、俺の隣に並んで立った。少し息を切らしてるところをみると運動不足気味だな。だが全速力で走ってどうにかロボットのすべてを引き離しては来たようだ。

この建物内においては大いにぶら下がったりよじ登ったりする計画だったから、俺は予め形を知ることのできない突起物や支持部にも対応しやすいよう、ロープとその先に付ける多様なフックの組み合わせを用意して来ていた。ロープやザイルの太いものにはそれに合った鋼鉄製のカラビナを取り付け、ワイヤーや荷造り紐の先に様々な形状のフックを装着し、登山用具にかかわらず体重を支えられるものなら何でも利用した。ホームセンターに何度も通い、使えそうな小物を探し出すのに骨が折れた。

「これがいけそうだ」

飛び上がりながら細いナイロンのロープを投げて、四度目に手摺の下部にフックを掛けることに成功した。引っ張りながら相棒を振り返る。

「丹羽、頼む！」

「よし、いいよ！」

その場で身を屈めた丹羽の組んだ両手と肩を踏台にして、次の足場を壁面のスプリンクラーに求める。ロープの助けを借りてどうにか二階の手摺外側に足を掛けた。

『侵入者発見、侵入者発見。ＩＤカードの提示または――』

「まずいよ、また十五秒始まっちゃったよ」

丹羽が焦った声を出したその時には、俺は手摺を乗り越えて、二階回廊の床に立っていた。

「ロープを身体にかけて端を寄越せ」

俺が垂らしたロープを丹羽は素早く脇に回し、上体に巻きつけてこちらへ投げ返す。受け取った俺は手摺の鉄棒の間に通し、両端を固定した上でタイミングを計り。

「ようし、来い」

丹羽がカウンターを蹴ったのに合わせて引っ張り上げてやったら、彼はうまく一度で手摺を掴んだ。が、まだ脚がセンサーの範囲内だ。あと何秒残っている?

『時間内に至急IDカードの提示または暗証番号の入力を行ってください』

いかん、警告メッセージが五秒前用のに切り替わってる。

「急げ!」

闇雲に引っ張ったら丹羽は手摺を越える時にバランスを崩して俺の上に落ちかかり、もろとも二階の床に倒れ込んできやがった。それだけで済まず、お互い額をしたたかにぶつけ合う。

「わっ!」

「いってえ……おい、無事か?」

「うーん、何とか」

至近距離で顔を見合わせる体勢となったまま、しばらくは脱力感で動き出すこともできない。じっと身を潜めていると、ロボットどもは俺達を探して次第に散ってゆく。その構造から予想はしていたが、上方へ急に消滅する対象は見失いがちなのだ。頭部可動部の仰角がさほど大きくはないこの警備ロボットの死角に逃げてやり過ごすには、概して水平よりも垂直移動が有効なのである。

「ちなみに、あの点滅する光は一秒置きだからな。十五秒カウントの目安にするといい」

　俺は下敷きになったまま言った。いい加減にどきやがれ。

「……参考にするよ」

　ずり落ちそうになった眼鏡を直しながら丹羽が答えた。

「まったく、ロボット三原則もあったもんじゃないよね」

「仕方がない、設計者の信条はともかくとして、現実の要請はおよそセンス・オブ・ワンダーと相容れないものだったんだろうよ」

　彼の言う古き良きＳＦの思想を守ろうとする社内技術者が、その開発に異義を唱えて集団で退職した事実を知る俺はしかし、控え目に弁護しておくにとどめた。

「だけどまあ、見かけによらずいい仕事をするんだとはわかった。あの連中の裏をかくための、もっとちゃんとした作戦を練ろうよ」

　つまりは、そういうことだ。得体の知れないものとは闘わず争わず、ただただ避けるにしくはない。わかってるじゃないか。気を良くした俺はここぞとばかりに言ってやった。

「そうだな。だが擬人化するのはよそうな」

内部階段を使って地下一階に下りて来た俺達はそこで、トランシーバーによる交信を試みる。

「中井、今地下倉庫の前にいる。さっきまでいた一階との高低差は？　つまり、二階と一階との高低差と同じか？」

「――同じだよ」

やや間を置いて簡潔な返事が返って来た。傍で聞き耳を立てていた丹羽が会心の笑みを浮かべる。

「いいんじゃないの」

ということで俺達は、封鎖作戦を地下倉庫で行うことにした。かなり台数のある警備ロボットが全部納まる広さと、管理人室同様扉に電子的機構の絡んでいない扉が好都合だったからだ。おまけに中に入ってみるとそれは一層良い選択だったと思えた。倉庫内には大小様々な荷物が無造作に積まれていて、それらを並べ直すことで簡単に、俺達には登れて警備ロボットには登れない足場を組むことが可能だったからだ。

「どれ、最初は一緒に行こう。リハーサルだ」

踏み台に適した頑丈そうな箱を階段状に並べる。ロボットの仕様では四十センチ以上の高低差は登れないことになっているが、大事をとってそれ以上の差を設けることにする。頂上は天井の換気ダクトのすぐ下にくるように積み上げた。早速よじ登ってドライバーを取り出す。

「お前も手伝え」

「了解」

二人して蓋のネジを緩めて取り外した。埃にまみれた蓋を注意深く降ろした天井には六十センチ角の縦穴が空き、すぐ上で一階の床スラブに当たって水平に曲がっている。ＰＤＡで確認すると現在位置はちょうど、エントランスの下あたりだった。

「先に行くぞ」

俺は時刻をチェックしながら言った。これからここを何往復かするわけだが、あまり手間どらないように進めたい。もちろん他のチームを意識してのことだ。

トランシーバーとＰＤＡを鞄に納め、ゴムの滑り止め付き軍手を取り出して両手にはめた。ペンライトを灯して縦穴に頭を入れ、積み上げた荷の頂上に立ち上がると、ダクト内の水平部分は胃の辺りに来る。そのまま上体を倒して腹這いになり、水平部分にそっと体重を乗せてみる。ステンレスの薄板でできたダクトはこの姿勢でいる限り、俺一人分の体重を支えてくれそうだった。

「障害物は？」

匍匐《ほふく》前進を始めて間もなく、後方から丹羽の声がした。視界を塞ぐ俺の尻と足の裏を見ているせいか、何とも浮かない声だ。咥えていたペンライトを手に持ちかえて俺は言った。

「少し先に整流板があるけどな、突破できるだろう」

ダクトが左へ折れる場所で、さっき地下倉庫の天井から取り外した蓋を簡易かつ軽量にしたようなフィルターが俺達の行く手を塞いでいる。これが整流板だ。近付いてみるとやはり枠がネジ留めされていたが。緩めてから両手をかけて揺さぶると簡単に外れる。腕の力で済んでよかった。蹴飛ばさなきゃいけないこともあり得たわけだが、この六十センチ角の空間内で身体の向きを変えることは至難の業だからな。

その曲がり角を抜けてしばらく左へ進むと、いよいよダクトは上方へ折れていた。一階への通路を得ることが目的の俺達にとって、出やすい位置に換気口があるかどうかが重要である。ここにもあった整流板を外すと、その先はほんのりと明るいではないか。上方の壁面片側に光源である換気口が見えた。俺はペンライトを消して鞄にしまい、念を押す。

「丹羽」

「何?」

「上の方に出口がある。俺が縦穴を登ってる間、真下にはまだ出て来るなよ。万が一落ちた時の用心だ」

「わかった」

そう言って俺は登るのに応じた姿勢を取りにかかった。今まで這って来た水平面に普通に立つことはできない。全体重が足裏の面積に集中すると、ダクトを踏み抜いてしまう恐れがあるからだ。だから俺は仰向けに寝返りを打ってから、慎重に縦穴に伸び上がって、左右に突っ張った両腕で体重を逃がしながら、徐々に上半身を起こしていった。足を投げ出して座る姿勢で、どうにか尻を浮かせることに成功する。

さて次だ。登り始めたはいいが、俺はかなり苦戦した。足場になる凹凸などない内壁に、手足を突っ張ることで生じる摩擦を頼りに登っていかなくてはならない。見上げて俺はげんなりした。降りるならともかく、あの高さまで登るなんてとても無理だ。その半分がいいとこだろう。

「くそっ、泣きが入るぜ」

すると頭を引っ込めたままの丹羽が、声だけで応じた。

「踏台になろうか？」

「ありがたい申し出だが、やめておいた方がいいだろう。二人分の体重が局所的にかかると、このダクトの造りじゃもたない」

「そうだね。どう、何か思いつく？」

わかってて聞いてやがるな。まあ、思いつかないこともない。

「丹羽、一番小さいフック付きの細いナイロンストラップ、すぐ出せるか」

「出せるよ——ほら」

腕を一杯に伸ばして彼は、縦穴の途中で突っ張ったままの俺の膝の辺りに引っ掛けてくれた。いいぞ。これもあらゆるよじ登りを想定して準備しておいたものの一つだ。靴紐くらいの太さにナイロンを編んであって余裕で体重を支えられることは実験済み、長さも充分にある。

フックを投げること十数回目、俺は苦労して出口の蓋に切られた桟に引っ掛けることに成功した。やれやれ、助かったぞ。ストラップの助けを借りて、今度はどうにか出口の高さまで辿り着く。

さて、一階出口の外側はどんな場所だ——。その高さに留まり、蓋越しに光差す外を透かし見ると、すぐ手前に床置きの消火器があった。加えてさっきの警備ロボットが一台、ゆっくり巡回している様子も窺える。よしよし、内装の様子などから判断して、この換気口はどうやらエントランスホールの一部、床の高さに開いているらしい。

そうとわかればこっちのものだ。どの途この蓋を中から開けることは不可能だから、俺は下にいる丹羽に引き返すよう合図を送った。

「いいぞ。上の出口はエントランスホールに面していた。一旦そっちへ回って蓋を開け、登りやすいようにセッティングしたロープを垂らそう」

　言い終わった時、外に足音が聞こえて俺は口を閉じた。続いて平板な男の声がエントランスホールに響く。

「──研究室が先だ。まずは四階からで、順に下りていく。施錠されたドアは後まわしにして、開いているところから見ていけ」

　足音は複数で、声は一人だった。タイミングからしてこれは最後発のチームだな。研究室へ直行するのか？　俺にしてみれば先を越されることになるわけだが、そう焦りはしない。その口ぶりから認証システムへの備えをしておらず、時間のかかる物理的手段に訴えようとしているのが明らかだったからだ。エントランスを破壊した奴らにしろ、こいつらにしろ、まったく考えが甘過ぎる。

　俺の目の前を横切り建物奥へと進んで行った彼らは、隙間から見えた限りでは三人──いや、それとももう一匹──だった。栗鼠を追って行ってしまった番犬とは違い、ごくごくありふれた感じのする、円《つぶ》らな瞳の雑種犬は俺と一瞬だけ目が合ったが。幸いもっと興味深い事があるらしく、三人組の後について視界から消え去ってくれた。

「たぶん他のチームだと思うが、妙な連中がいたぞ。胸のところに企業名を刺繍した、お揃いの作業服を着てる。エスニック・ジョークに登場する日本人みたいな」

ダクト水平部分へ戻って丹羽に教えると。

「あ、それならスタート前に僕も見たよ。八〇年代テクノグループみたいな三人組。全員似たようなタイプで、眼鏡かけてるんだろ」

「そう、そいつらだ」

「何ていうかさ――あれはあれで、結構ロボットっぽいよね」

俺は笑った。

「そうか。だとしたら、他社はSQR－05より高性能なのを当ててきたわけだ」

冗談はさておき、俺達はダクトから地下倉庫と内部階段を逆に辿って一階へ戻った。そこで巡回するロボットと遭遇しないようコーナーの蔭に潜んだりしてやり過ごしつつ、隙をついてエントランスホールへ走り出る。手にはロープとドライバー。

「急げ」

「まず消火器をどけないと」

丹羽がそれをやっている間に俺はロープの端を持って走り、少し離れた場所にあるトラス構造の柱に回してしっかりと結び付ける。とって返して二人がかりで蓋を外し、ロープのもう片方の端をダクトの中へと繰り込んだ。このロープには簡易縄梯子として使えるよう途中に輪を作ってあるから、垂直部分を登るのが随分楽に行える。

「よし、底に着いたな」

そう言い終わった途端だった。

『侵入者発見、侵入者発見。IDカードの提示または暗証番号の入力を行ってください』

初めて遭遇した時と似たフォーメーションで、ざっと十台ばかりがこちらに向かって来る。俺の後ろに立っていた丹羽を検知したのだ。

「素晴らしいタイミングだねえ。僕が行っていい？」

こいつの言い草は面白がっているとしか思えない。

「頼んだ。俺は後ろで倉庫の戸を閉める」

言うなり俺は垂らしたばかりのロープを掴み、ダクトの中にぶら下がって身を隠した。警備ロボットのセンサーに、俺までもが引っかかってしまうことを避けるためだ。

「それじゃ！」

すぐさま走り出した丹羽の後を、警備ロボットがぞろぞろと付いて行く。よしよし、残らず連れて行ったな。

辺りが静かになったのを見計らってダクトから這い出た。丹羽が向かった階段室入口まで行って耳を澄ます。響いていた一人の足音と十数台の駆動音が充分に遠ざかったと思われてから、慎重に地下への階段を下り始めた。

途中思い切って手摺から身を乗り出すと、警備ロボットの再後尾の一台が地下一階への最下段を下りるのが見えた。こいつらの階段上り下りは複数あるクローラーを巧みに制御して行う、なかなかの見ものである。中止になってしまったが、春先の展示会ではこの警備ロボットのデモンストレーションを行う予定で俺も準備に加わっていたのだ。あの時の細々とした作業をふと思い出すと、今こんな場所で奴らに摘み出される侵入者の側に回っていることが実に奇妙で滑稽に思える。人生ってやつは何が起こるかわからない。

近付き過ぎないように階段を下り、開け放たれた地下倉庫の入口に立つ。丹羽はもう倉庫の奥手の荷物の山の上にいて、ダクトに入ろうとしていた。それを床の上で取り囲む一群の警備ロボット。だが思惑通り高低差が行く手を阻み、それ以上は彼に近付けないでいる。

見届けたいのを我慢して、俺は急いで倉庫の扉を閉じた。鞄からゴム製のドアストッパーを取り出し、外開きの扉と床の間に挟み込む。爪先で蹴って、さらにきつく食い込ませた。両開きの扉の片方につき三個ずつそれを噛ませてから、おもむろに扉を引いてみたが——びくともしない。首尾は上々、と。

扉に耳を当ててみた。駆動音はするが静かなもので、警告音や衝突音など少しもしない。みんないい子にしてるようだ。閉じ込められたからといってドアに体当たりを試みたりするのは、下品な人間どものやることだからな。

エントランスホールへ回ると、丹羽が嬉しそうに笑いながらダクトから這い出て来たところだった。

「あー面白かった。中井君にさ、今僕らが垂直に動いたのは換気ダクトの中だって教えてやろうよ」

面白いのはお前だ。こんなところで楽しむなって。だが俺の方も笑いが止まらない。

「後でな。ひとまず先へ進もう」

「一網打尽——とはいかないまでも、大部分は閉じ込めた？」

「まあそうだろう。その証拠に巡回してる奴がいなくなってる。それにしてもあいつら、一体何人いるんだろうな」

おっと、失言。丹羽の笑みが人の悪いニュアンスに変わった。

「擬人化はよせ」

27

その男は気の抜けた調子で、まずはぼやいた。

「番犬はどこにいるんだ」

もう一人は手に工具箱を提げてしきりと辺りを見回し、三人目は無言でつっ立っているばかり。数多くの番犬がいるとの情報に、揃って着衣に革製プロテクターを装備してやって来た彼らだったが。陽はとっぷりと暮れ、寒風は吹きすさび、静まり返った研究所周辺には人も犬も見えず、拍子抜けの感を禁じ得なかった。

「いませんね。何かあったんでしょうかね？」

「さあな。情報が間違っていたか、あるいは前のチームの連中が撃退したか」

「前のチームのおかげなら、ちょっと得しちゃいましたね」

「そういう問題じゃないだろ」

三人は口々に言い合っていた。端で見ている者がいれば随分と奇妙な印象を受けたに違いない。三人ともが皆、やや小柄で痩せ気味の身体に同じグレーの作業服上下を着込み、歳の頃は三十代始め、短い髪を左寄りで七三に分け、全員が眼鏡をかけているという、非常に似通った外見をしているのだ。

　三つ子の兄弟というわけではない。並べて観察すれば確かに異なる特徴を持つ他人同士であるのに、何らかの目印、例えば眼鏡を取り外してしまえば、途端に微妙な相違点などかき消されてしまう、彼らの備えているのはそういったタイプの相似性またけ没個性であった。してまたその眼鏡のデザインが三人三様で、まるで目印にしてくれと言わんばかりに提示されているのである。

「どうした、何を見ている」

　黒いセルフレーム眼鏡の男が訊ねた。

「いえ、栗鼠が」

　縁なし眼鏡の男が答えた。

「リス？」

「犬じゃなく、傷ついた栗鼠が落ちてるんですよ」

　それを見るために歩み寄ろうとしたセルフレームはしかし、反対方向から銀のメタルフレーム眼鏡の男に呼ばれた。

「課長、ちょっと来てください」

「今度は何だ」

「扉が壊されてます」

二人は顔を見合わせた。前のチームが番犬に続いてバイオメトリクス認証システムまでもどうにかしてくれたのなら、これほど楽なことはない。だがいざエントランスの惨状を目にすればしたで、また狼狽するしかなくなった。

「爆破したのか。えらく派手にやってるな……」

「原型を留めていませんね。これじゃ情報収集どころの話じゃない」

「後で訴えられるのが怖くないのかな」

そう、弁護士からの事前説明にもあったように、行き過ぎた器物損壊は保障の限りではないはずなのに。

「どうも必要以上に強引なチームがいるようだな」

扉の強化ガラスと操作パネルのみならず、床タイルの一部までがえぐられて粉砕されていた。辺りに漂う空気はまだきな臭い。

「あ、これは……銃弾です」

散乱した金属片などを拾い集めていたメタルフレームが聞き捨てならない言葉を吐く。セルフレームははっとして問い返す。

「猟銃や競技用の類じゃ？」

「違うようですね」

メタルフレームの答えの意味する事は、ここを破壊した先行チームが非常に過激で、競技のルールどころか法を犯すことさえ気にも留めない連中だということを示している。不気味なのは、そうまでする意図を量りかねることだった。いくら高額の賞金のためとはいえ、損害賠償や銃刀法違反の危険まで冒すのか。第一そんなことをすれば競技自体に失格になるに決まっているではないか。

「ひどい奴らですねえ」

呆れ顔で言う縁なしには、今のメタルフレームの言葉の意味がわかっていないようだが。

「気をつけろ、他のチームの人間を見かけたら油断するな」

部下を必要以上に怯えさせないよう最低限の警告をして、セルフレームは覚悟を決めた。自分達の目的は新製品情報とサンプル入手であり、それに専念する。過激な連中と対決してまで、あわよくば競技に勝とうなどという妙な色気を出さないことだ。

「番犬もいなかったことだし、身軽になっておこう」

二人は無言で頷く。全員番犬対策のプロテクターを外したり抜き取ったりして軒先の床に積み上げる。もちろん帰りに回収するつもりだ。社費で購入した物品は持ち帰り償却しなければならないのだ。大げさな肩パッドの下からは《ワタナベ製作所》の社名刺繍が現れた。

「いいか、先へ進むぞ。研究室が先だ。まずは四階からで、順に下りていく」

どこに隠れていたのかおよそ番犬らしくもない一匹の犬が、楽し気に彼らの後をついて来ていることに、三人はまだ気付いていなかった。

28

梓は四階の研究室でエレベーターを降りた。父親をあの状態に拘束した、おそらくは逃亡中の強奪犯が建物内のどこかにいるだろうと、充分に警戒しながら移動する。

彼女は以前に父を訪ねた際のことを思い出していた。管理人に娘がいることはなぜかここの研究員達に知れ渡っており、彼らが下へも置かず代わるがわる案内してくれたので、建物内の様子は心得ていた。できればちょっと顔を出して知り合いの研究員に挨拶し、何気ない風を装って手掛かりを得、ひいては目的の物を探すのを手伝ってもらおうとしたのだが、そんな時に限って誰も廊下を歩いていない。

廊下はおろか、給湯室や洗面所にも、人の気配が一切ないのだ。ここに来た時から感じていたが、今日は建物全体が静まり返っているようだった。何これ、どうして誰もいないかな？　今日は平日なのに。仕方がないので下に戻ろうとして、彼女は思い直す。研究室の中はどうなんだろう。

内部各セクションに設けられたセキュリティロックは、さすがに管理人の家族というだけで通過できるエントランスのようにはいかないはずだった。各研究室のドアには、四桁の暗証番号と密着型のセンサーを組み合わせた指紋認証システムが組み込まれている。試しに一番手前のドアの前に立ち、操作パネルの《入室》のキーを押してみると。表示とともに女性の声でメッセージが流れる。

『暗証番号を入力してください』

それがSecurityの最初の四文字の形状から連想される５０６９であることも、面倒なので各研究室共通であることも、かつて研究員達が見せてくれた実演によって知っていた。あくまで当時から変わっていなければ、の話。だがものは試しと入力すると、あっさりとパスしたではないか。メッセージは次のステップを促した。

『センサーのガラス面に、登録指を押し当ててください』

さあ次は——どうかな。ミリタリージャケットのポケットを確信と共に探ると、手にグミキャンディの袋が当たる。気温の急激な変化と移動中の機内の乾燥に備えて持っていたのだが。色はオレンジ、それはこの場合なかなかに好都合だ。一粒取り出してガラス面にそれを密着させると――果たせるかな。センサーは反応してくれた、彼女の前の通過者の指紋に。

『ロック解除します』

旧式の接触型指紋認証システムではこうやって他人の指跡の反射で認識を通過できる場合があるのだ。それは以前梁本が聞かせてくれた話だったが、まさかこんなに上手くいくとは思わなかった。梓は呟く。

「もう、こけ脅しなんだから」

だがそうやって解錠した研究室内はまったくの無人だった。照明も暖房も落とされ、ただ連続運転のサーバーのみが低く唸りを立てている。調子に乗った梓は同じ方法を、並んだ研究室の扉に片っ端から試していった。どの部屋のドアも難なく開いたが、無人で火の気のないのはどこも同じだった。

「こんばんは、誰かいませんか？」

冷えびえと蛍光灯に照らされた廊下。最小限の暖房と無人運転のサーバーだけが唸り続ける研究室。喫煙コーナーも給湯室もトイレも無人。

残ったのは四〇五研究室である。南側の突き当たりに位置するここにだけは、何か他とは違う重要な機材でもあるのか、梓も入れてもらったことがなかった。しかし今日はそうも言っていられない。声をかけながら扉をゆっくり開ける。

「すみません、どなたかいらっしゃいませんか――?」

最後の期待は裏切られた。無人であることも、運転中のサーバーも、他の部屋とちっとも変わりばえしない。違うのは入口近くのデスクの上に、充電機にセットされた携帯電話が三台並べてあったことだ。面白みのない光景にがっかりした彼女は、今度こそ諦めるしかなかった。

そして。

「――廊下を回り込め。見つけ次第一台を捕獲する」

階段の方から響いてきた複数の足音と、何事かを指示する声にはっとした。咄嗟《とっさ》に近くの女子トイレに身を隠す。中の照明を落としたままで潜み、できることなら彼らの姿を窺い見ようとしてみる。

「さっきの残骸を見たでしょう?　セキュア・ミレニアムは今回のイベントでSQRシリーズの新型を試そうとしているんです」

近付いて来たのは作業服姿の三人組で、一人は金属製の工具箱を抱え、一人はなぜか後ろに犬を従えていた。いけない!　梓は見るのを中断して、女子トイレの奥へ隠れる。どういうわけだか彼らといる犬が、ここへ来る度に遊んでやっている、草壁の飼い犬ハルだとわかったからだ。お願いだから、私に気付かないでよ——。

「でも、見当たりませんね」

「あそこで行き止まりだな。後は外周に沿った廊下か」

男達の話し声は次第に遠ざかり、ほとんど聞こえなくなり、少しして再び近付いて来る。一旦散った彼らは何かを探し終えて、またこの近くに集まってきたようだ。

「こうなるとさっきの一台が惜しい。どうせエントランスをやった連中と同じでしょうけど、何でも破壊すりゃいいってもんじゃありませんよ」

憤慨している男がいる。

「主任、壊れたのから基盤を取り出すことはできないんですか？」

「それが一番いいんだよ。持ち帰って解析すれば大抵のことはわかる。だがさっきのはそれもできないほど蜂の巣にされていた」

「まあそう息巻くな。実運用されていることがわかったんだ。あれ一台きりということはないだろう。とにかく、もう一台見つけて確保することだ」

梓は考える。この男達が父を拘束したのか？　あるいはそうかも知れない。しかし彼女はどこか違うような気がした。彼らは何かを探しているようだが、口ぶりからして盗品のダイヤではなさそうだし。あまり手荒なことをやらなさそうにも思えたし。断定はできないけれど。

「やっぱりいないみたいですね――」

「おかしいな、こんなに少数しか配備していないはずはないんだ」

「わあっ！」

一人が悲鳴を上げた。何事か？――梓は暗闇の中で身をこわばらせた。

「どうしたんだ！」

「あっ、この犬が……私のシャツの裾を……こらっ、離せ！」

途端に彼女は事態を把握し、一気に脱力した。そしてハルが彼らと一緒にいた理由にも想像がついて、こんな状況なのに笑い出しそうになった。そうそう、そうなの。その犬はどうしてか、はみ出た布切れが大のお気に入りなんだから。

「どうにかしろ」

「こらっ、あっちへ行け！」

大騒ぎする三人組の声が静まり再び遠ざかるまで、梓は我慢強く待った。階段を下りて行った三人組は、この後まだ三階と二階を探すつもりのようだった。

彼らと鉢合わせしないように先を越そうと、エレベーターで地下へ向かうことにする。そこでさっきの箱をもう一度検めてみるか？　そうだ、さっきはそれらしきラベルの箱をひとまず開けたが、今度は箱にこだわらず、ハンディターミナルを使って周辺をくまなく走査してみよう。何しろセンサーが反応する以上、三メートル以内にタグがあることは間違いないのだから。

梓は用心してエレベーターを降り、再び地下倉庫の前に立った。確信を持って扉に手をかける——が、びくともしない。どうして？　施錠はさっきと同様されていないのに。

彼女は足元を見てその理由に気が付いた。ゴムでできた楔《くさび》型のドアストッパーが何ヶ所にも噛ませてあるのだ。でも、誰がこんなものを？　作業服の三人組ならまだ二階か三階にいるはずだ。さっき彼女と梁本がここから管理人室に移動した後、入れ替わりにここへ来た者がいたというのが妥当な推測だろう。やはりこの建物の中には他にも誰かいる。それは強奪犯か？

扉に耳を当てると、中ではモーターのような機械音がした。まずい、この地下倉庫は奥がスロープになっていて、外部地上に通じている。この音はきっと彼女の父親を拘束しダイヤを奪い返した泥棒が、何かに乗って逃げようとしているのだ——。

焦るあまりつい身の危険を忘れた梓は夢中でストッパーを蹴っていた。そのすべてを外すのももどかしく、片側だけ扉を引き開ける。倉庫内の光景に、彼女は驚愕するしかなかった。

「何これ！」

梓のそれに対する第一印象は《卓上醬油差し》だった。彼女は比喩が得意でない。地下倉庫の中には高さ一メートルほどの卓上醬油差しが十数個もあり、思いおもいに走り回っていて、一斉にこちらへ向きを変えた。彼女は猛烈な既視感に襲われる――こんなのってどこかで見たことある――大掛かりで、シュールな、コントだ。

向かって来た醬油差しの一群を食い止めようと、とにかく慌てて扉を閉じ、すんでのところで出口を塞ぐ。あれは何？　なぜここにある？　さっきはあんなものなかったじゃない？　必死でドアストッパーを蹴り入れながら、混乱する頭で考えた。何てことだ、これじゃ入って行ってダイヤを探すこともできないじゃない！

29

目的のロボットには、四階から二階までのどこでも遭遇できなかった。

「五階と地下は今回の競技フィールドから除外されていますが。どうでしょう、どちらかと言えば地下の方が可能性が高いと、私は思いますね」

メタルフレームが少々苛立ち気味に詰め寄る。セルフレームはなだめるように許可した。

「いいよ、下りてみようじゃないか。ことによると地下倉庫が格納庫を兼ねているのかも知れない」

ぞろぞろと階段を下りながら、縁なしは後ろを気にしていた。さっきシャツの裾を噛んで離そうとしなかった犬が、追い払っても追い払っても、尻尾を振りながら、少し離れて付いて来るのだ。シャツはもうズボンにたくし込んで見えなくした。彼は犬が大の苦手で、それだけになぜ自分だけがこうも好かれるのかわからなかった。

上司二人がすでに地下へ下りて倉庫の扉の下からストッパーを外しているのを見て、縁なしは慌てて追い付く。

「すみません、私が……」

倉庫の扉はしかし、自動的に開いた――かのように見えた。内側から押す力が非常に強く、二人は扉ごと左右に押しやられる。中から走り出て来たのは数体の自走式装置群。

「ＳＱＲシリーズだ！」

メタルフレームは狂喜した。

「中へ入れ。扉を閉じるんだ！」

「でも、何台か外へ」

「いい、まだたくさんいる」

縁なしはセルフレームの言う通り中へ入って扉を閉じた。中からはストッパーがかけられず、代わりにその辺にある重そうな荷物を引きずって来て並べる。

『侵入者発見、侵入者発見。IDカードの提示または暗証番号の入力を行ってください』

そうしているうちにも倉庫内に残ったロボットのうち一台が縁なしに迫り、明滅する光と共に警告メッセージを発し始めた。三人はその一台をひとまずおいて、他のロボットの頭部センサーに、可視光線および一定範囲の電磁波を遮断するシールを片っ端から貼ってゆく。貼られたものは急に大人しくなり、巡回モードに切り替わったようだ。最初の一台だけがまだ警告を発し続けている。

『侵入者発見、侵入者発見。IDカードの提示または暗証番号の入力を行ってください』

「まだ大丈夫だ。警告開始から排除実行までの間には充分な時間を設けてあるはずだから」

メタルフレームはそう言うが。警告メッセージの内容が変わり、光が点いたままになった。残り時間は少なくなっているようだ。

『時間内に至急IDカードの提示または暗証番号の入力を行ってください』

メタルフレームは腕時計で時間を計っていた。彼が対峙している一台の、やや前屈みの胴体両側から上中下三段のスチール製アームが滑り出る。

「主任、危ない！」

厚さ一センチ程度のそれは円弧を描いて伸び、閉じる。ごく素早い動きだ。メタルフレームはすんでのところで跳び退いた。もう少し遅かったらそれに絡め取られてしまうところだった。

「えっ！」

代わりに、思わず一歩踏み出していた縁なしが捕まる。驚いている間にも両側の円弧は背中の側でぴったりと合わさり、彼はたちまち二の腕、腰と手首、膝下の三箇所をスチールの輪に取り囲まれてしまう。

「わああっ！」

「大丈夫か！」

「待て」

駆け寄ろうとしたメタルフレームはセルフレームに肩を掴まれた。

「しかし、助けないと！」

「記録が先だ。必要以上の危害は加えない仕様のはずだろう」

非情な上司の言葉を裏付けるように、スチールの輪はまたすぐに両側に分かれて本体の中に格納される。その後には素材も幅も車のシートベルトに似た帯で三箇所をしっかりと締結された縁なしの身体が残った。戸惑いながらもメタルフレームは一旦距離を置き、業務命令に従って記録のための写真撮影を優先する。

「いいか、ロボットはこの後、彼を運ぼうとするはずだ。その隙を衝いて奪還する」

「わかりました」

セルフレームの言う通り、上と下からまた別の種類の平らなアームが出てきて、縁なしの身体を倒しにかかる。今や棒状に硬直した彼はなされるがままだ。上下のアームはゆっくりと回転し、フォークリフトのように人体を捧げ持って静止した。

「今だ、主任」

「はい！」

メタルフレームは工具箱から、セルフレームもポケットから飛び道具を取り出した。適当な長さに分断した自転車のチェーンである。下手投げで放るとそれは上手い具合に複数あるクローラーの隙間に巻き込まれ、金属のこすれ合う耳障りな音と共に、やがてロボットは停止した。縁なしの身体は依然保持したままで。

この状態でならさっきの三点アームは出せまいと踏んだ二人は、大急ぎでそれぞれ縁なしの上体と足元のベルトを摑んで降ろす。力を合わせて引きずるように後退し、どうにかロボットから離れることができたのだった。

足回りをやられているロボットはその場所から動けず、追って来られない。目潰しをくらったその他のロボットは何事もなかったかのように巡回するばかり。二人は部下の身体を倉庫の奥に築かれた荷物の山の上に安置し、自分達もそこへよじ登った。

「ふう、助かった」

「うーん、これはベルトを断ち切るしかないな」

締結部分を調べてセルフレームが言った。メタルフレームは頷いて工具箱からニッパーを取り出す。力なく横たわる縁なしからは泣きの入ること。

「課長、記録を優先するなんてひどいです……勘弁してくださいよ……」

「申し分けなかったね。しかし君も迂闊だった。このタイプのロボットを想定した技術研修会には参加したんだろう?」

ベルトに少しずつ切り込みを入れながら、メタルフレームがフォローした。

「ああそれ、彼は出ていないはずですね。警備システム開発部に異動して来たのはごく最近なので」

「そうなの？　前はどんな仕事を？」

「携帯電話の市場調査です」

セルフレームは意外そうな顔をした。

「そうか、それじゃ無理もないな。君があまりにも違和感なく溶け込んでるから、以前から開発チームだったような気がしていた」

「恐縮です……」

セルフレームは今いる足場から周囲を観察した。天井近くまで積み上げられた荷物の頂上は、換気口らしい天井の穴のすぐ下に迫っている。蓋が外して立てかけてあるので、人ひとりは楽に通れそうに思える。前のチームの参加者が開拓した脱出ルートだろうか。一方下ではセンサーを封じられた警備ロボットが、さながら幽霊のように彷徨《さまよ》っている。縁なしがようやく拘束から解放されると、セルフレームは命じた。

「いいか、我々はここで停止させた一台を確保し、分解して基盤を回収する。君はあのダクトを抜けて管理人室へ行き、電話回線を切断してから、四〇五研究室でマーカーを確保するんだ」

「そんな、どれを切ればいいかなんてわかりませんよ――」

隣で聞いていたメタルフレームは肩をすくめ、セルフレームは鼻白んだ。まったく、これだから文系は。

「まあ、やってみることだね」

メタルフレームは別の観点から口を挟んだ。

「課長、マーカーを取りに行かせる必要がありますかね？　指示書には情報収集さえできれば、競技には参加せず帰還していいとありましたよ」

「とはいえ競技の方でもいい成績を上げれば当社のイメージアップに繋がるからね。どの途ここでの作業は私達で充分だ。やらせてみよう」

数分後、やっとの思いでダクトを抜けた縁なしは一階エントランスホールの床に降り立った。ははあ、こんな所に通じているのか。横穴部分を匍匐前進したせいか、上着の裾からシャツがはみ出ているのに気付く。何だかこの作業服、胴周りが緩すぎるんだよな。ズボンにたくし込んでいると背中に何者かの視線を感じる。振り返ると、またあの犬が尻尾を振って見上げていた。

30

老人は本当に、自分の置かれた状況が大したものではないと考えているようだった。

「わしのことなら構わん。むしろあの馬鹿娘の傍に行ってやってくれないか。そろそろ困り始める頃のはずだ」

そうしたいのは山々だが。

「申し訳ありません、彼女の意図も汲んでやらなければ。僕は梁本剛といいます。そのような訓練が行われているとも知らず、今日は娘さんと結婚するお許しを得ようと思って来ました」

だが彼の言葉の後半は軽く無視された。

「そうか。なら、どうする？」

草壁はそれならば拘束を解くつもりはあるかと訊いているのだ。梁本はもう一度だけ迷い、そして決断した。義父を解放することにしたのだ。結局のところ、そうした方が長い間梓を一人にして置かずに済むだろうから。

「すみません、もっと早くにこうするべきでした」

手足の拘束を解かれると、草壁はすぐに机の下へ潜り込む。

「どうしました？」

「新型警備システムの隠し操作パネルだ。お前さん達が入って来る前に足を使って起動だけはしたから、もう動き始めているはずだ。設定と手動操作はこれでやるらしいが、通信カードを持って行かれてしまった」

引きずり出したノートパソコンを無造作に机上に置くと、次は小さな鍵で、掃除用具入れのようなロッカーに掛けられた錠を外しにかかる。老人がそこから取り出したのはモップや帚《ほうき》などではなく、日頃は猟に使っているのであろう、水平二連の散弾銃だった。

「そんな……いくらなんでも訓練にそれは……」

慌てて異を唱えた梁本に、草壁は厳しい顔をして言った。

「わしを拘束して行った奴らはそうでもないが、限度を知らない連中も紛れ込んでいる。こんなものが決して大げさじゃなく思える程にな」

どういうことなんだ？

「一部のグループは拳銃と短機関銃と、それ以上の火器を装備している」

「それじゃ、梓が危険じゃないですか！」

「そうだ。一緒に来るな？」

「はい」

やはり彼女を簡単に行かせるべきではなかったのだ。自分の優柔不断が悔やまれる。同時に梁本は、いよいよ盗難事件の犯人の介在を強く感じた。草壁が関係しているかどうかはともかく、侵入者については梓の見方が当たっているのかも知れない。

「あの馬鹿者、手間をかけさせおって。一人で何をしに行ったんだ――」

彼女の目的までは言えなかった。娘の疑惑を父親に明かすことはできない。かくなる上は、ただ無事を祈りながら共に後を追うのみだ。

31

破風崎が鋭く言った。

「撃て」

口調は平静そのものだった。棟安はこれでよく反応できるものだと透は思う。長年共にやってきた仲間同士というのはこのように一瞬で響き合うものなのか。自分じゃこうはいかない。まだ今のところは。

「くそっ、今度は何だ！」

棟安の撃った弾はエレベーターホールの向こうの床に当たって跳ね、その角を回って出て来ようとしていた者達が慌てて後退する。すっかり身を隠してしまった壁の後ろからは、長い銃身だけが突き出ていた。相手が銃を持っているのを見てとった破風崎が先制攻撃を命じたのだ。

「さっきはうるさいロボットだったが今度は人間様かよ。俺達以外にも実弾装備のチームがいるとはな。それもショットガンとは過激だぜ」

棟安は愉快そうに言う。彼らを阻止しようと向かって来た奇妙な警備ロボットを、三人がかりで蜂の巣にしたばかりだった。その興奮も冷めやらぬうちの、さらなる攻撃である。

「猟銃のようだから、許可は得ているのかも知れん。番犬対策に用意したのかどうか――」

破風崎の言葉が終わらないうちに向こうからも発砲があった。完全に隠れているこちらは音に反応しただけだったが、エレベーターのドアや床に数多くの穴が穿たれた。

「おーおー、本気なのはわかった、わかった」

まるで返事をするかのようにもう一発撃って応じると、相手もまたすぐに撃ち返してくる。

「屋内で散弾撒き散らすなんてどんな奴だよ。頭おかしいんじゃないのか」

「――二人はいたようだ」

破風崎によれば銃身の他に、手ぶらの腕も見えたということらしい。

「向こうはこちらが撃つまで気付いていなかった。俺達の人数を把握していない公算が高い。透を遊軍に使おう」

その透がすぐに返事をしないのを訝《いぶか》しんで、破風崎は後ろを振り返る。

「透？」

若者は棒立ちになってあらぬ方向を見つめていた。エレベーターホールを挟んで敵と対峙する彼らの、背後にあたる廊下の奥をだ。

「ボヤボヤするんじゃない」

「……ごめん」

叱責されて態度だけはしおらしく、だが何やらもの言いた気に、透は棟安の方へ歩み寄った。

「あのさ、今後ろの廊下に……」

「危ない、出るな！」

棟安の静止が少しだけ遅かった。さっきから間合いや死角を慎重に測っていた二人とは違い、透がうっかり踏み出したのは敵の射程圏内だったのだ。瞬間、銃声と共に三発目の散弾が浴びせられる。

「あッ！」

「透！」

足を押さえてしゃがみ込もうとする透の、衿首を摑んで棟安が引き戻す。

「馬鹿野郎、死にたいのか！」

「痛っ……ごめん、悪かったよ」

懐から抜いた拳銃のスライドを引きながら、破風崎が静かに命じた。

「棟安、傷を見てやれ」

「わかった」

右足のスニーカーの甲に穴が空き、土踏まずから先が真っ赤に染まっている。

「こいつは痛そうだな。どうだ、立てるか」

「うん……っ、何とか」

屈み込んだ棟安は靴を脱がそうかとも思ったが、返事を聞いて考え直した。立てるのなら、支えてやれば歩くこともできるはずだ。それなら履いていた方がいい。

「甚さん、いざという時は置いて行ってくれよな」

「バーカ、一人前の口ききやがって。お前を置いてくわけないだろ」

笑顔を見せて請け合う。

「ホントごめん……」

「お前らしくないぞ。何だってあんな時にぼんやりしてたんだよ」

総じて言いつけをよく聞き守る、生真面目な小僧なのに。

「それが……すごく綺麗な女がいたんだ」

それを聞いた棟安は破顔した。

「おいおい、女に見とれてしくじるなんざ十年早いよ。しかもこんな場所に女がいるか？　幻でも見たんじゃないのか？」

「そんなんじゃないって——」

敵の動静に一人意識を集中する破風崎をよそに、棟安は陽気に言った。

「透、今度お前の幻の女が出て来たら教えてくれよな」

「いいけど、何でだよ」

「俺も拝みたい」

32

一階ではあれきりもう警備ロボットに遭遇することもなかったが、俺達はそれでもエレベーターでなく階段を使って上へ向かうことにした。階段なら前方を視認できるから、出会い頭に突然警報を鳴らされる危険はエレベーターより少ない。

順調に上り続けて三階と四階の間の踊り場まで来た時。先を進んでいた俺が歩調を緩めると、追い付いた丹羽は怪訝な顔をする。

「何。息切れした？」

俺は笑いそうになった。馬鹿、そんなわけあるかよ。人が折角真面目な話をしようとしてるのに。

「ちょっと、聞いてくれ」

マーカーの在りかである四階の研究室へ向かう俺と、遠屋敷の不正の証拠を求めて五階を目指す丹羽とはこの先別行動になる。今この場所で言っておくしかないと思ったのだ。

「これまで黙っていたことを謝る。俺は本当は、二階堂側の人間だ」

丹羽の表情がなくなった。解釈の仕方を探しているような沈黙があった。

「――二階堂勝利、システムトライアンフの？」

「そうだ。俺は子供の頃に親を失い、二階堂に救われ、大きな恩を受けた人間だ。セキュア・ミレニアムに入社したのも、先方の意向で同業他社の情報収集をするためだった。お前の知っている門脇雄介という名前も、本当は他人のものなんだ」

「まさか、そんなはずないよ……嘘だろ。ふざけるなよ」

「大真面目だ」

「――てことは、学生の頃からか。ずっと隠してたわけ？」

「ああ、そうだ。お前に初めて会った時からすでに」

丹羽の顔はこわばったままだ。

「それにしたって。どうして今まで黙ってた？　僕が茅乃のことを話したあの朝に、言ってくれてもよかったじゃないか」

その通りかも知れない。学生の頃からついさっきまで、打ち明ける機会は無数にあったはずだ。なのに俺はそうしなかった。

「……すまない。それはできなかった」

どうしてだろう。愛想を尽かされるのが怖かったのか――たぶんそうなんだろうな。

俺は思い知った。丹羽との決別は俺にとって、想像するのも恐ろしい、少しでも先延ばしにしたい危機だったのだ。

「お前が遠屋敷会長の不正の証拠を得て表沙汰にしようというのなら、こんな背景を持つ俺と協力したままでいてはいけない。反撃の材料にされてしまう。だからこれが、打ち明ける最後のチャンスだと思った」

俺を切り捨てさせるための。

「虫のいい頼みと承知で言うぞ。願わくは、だ。お前が手に入れた証拠を公表するのは、俺が賞金を得てからにしてはくれないか。それなら二階堂への借りを返してから消えられる」

丹羽の表情は何かを堪えるような苦しげなものに変わっていた。こんな顔は初めて見る。

「せめてここへ来る前に言っておいてくれたら――」

「そうだよな、俺をチームから外したろう。そうされたくなかった俺の身勝手だったのはわかってるよ。だからせめてもの償いに、自ら行方をくらまして、二度とお前の前には現れないと約束する。俺の本当の名前も教えないでおく。だけど信じられないなら無理にとは言わない、ここですぐさま追い払えばいい」

丹羽はすぐには答えなかった。早く答えが欲しいわけでもなかった。それが別れの時となるのなら。

「――もう行けよ。勝手にしろ」

俺はこの瞬間、親友を失ったことを知った。ひどくこたえた。だが彼は追放はするが見逃してくれると言っているのだ。俺はそれで満足しなければならない。するしかない。

「本当に悪かった。許してもらおうなんて思っちゃいないが、学生時代――」

「黙れって。聞きたくない――」

丹羽は憎しみを込めた目つきで俺を見据えて、何か言いたそうに口を開きかけ、そのまま閉じた。それきり踵《きびす》を返して、足早に階段を上り始める。

「丹羽！」

大声で呼んでも振り返ってくれはしない。だが俺はあと一つだけ、どうしても言っておかなければならないことがあった。

「お前といられて楽しかった。ありがとう」

後ろ姿に向けて最後に放った言葉が、彼に聞こえたかどうかはわからない。

丹羽は門脇と顔を合わせていたくなくて、階段室を後にした。だが最初に乗り込んだエレベーターには階数表示のボタンが四階までしかなかった。一旦降りて他を当たり、五階まで行ける箱を見つけたが、四基あるエレベーターのうち五階まで行けるのは北西側のその一基のみだったのだ。

五階で降りてみれば、そこは他の階と趣を異にしたエレベーターホールである。他三基のエレベーターにあたる部分は嵌め殺しの板壁で、他の階より幅の狭い階段室がある他は、南北の突き当たりを木製の扉で塞いだ閉じた空間になっている。内装も他の階の白っぽいオフィス風クロス張りとは異なり、濃いブラウンの木の腰壁が巡らされていた。丹羽はなぜか動悸が早まるのを感じる——妙だな。

南側にある扉を開けてみることにする。ロックはエントランスと同じ静脈認証だったので、人工掌で解除することができた。扉の向こうは明かりが消えていて暗い。手探りでスイッチを入れた丹羽は、照らし出された室内の様子に驚いた。

これは一体、何なのだ？　同時にさっきからの動悸の原因を知る。あまりのことに、どう受けとめていいかわからない。なぜなら室内の様子は、幼い頃の彼と母親が暮らしていた部屋そっくりそのままの再現だったからだ。

南に面した窓のある広いリビング。落ち着いた色の籐製の家具類。母の趣味でもある草木染めのカットワークで拵《こしら》えたカーテンやクッション。懐かしい香りまで漂ってくる。とすればこれは、現物を移築したものなのか？

丹羽が進学し家を出て暮らすようになってから、これまた自分の人生を大切にする彼の母親も、仕事を替え愛する男を替え、家具調度を処分し住んでいた場所を引き払って、新天地へと旅立った。あの時フリーマーケットやネットオークションで散りぢりになったはずの物の、かなりの部分がここにある。

人を頼んで買い取らせたのか、後から取り戻したのかは知らないが、この部屋を設《しつら》えさせた者はあの部屋に、そうするだけの思い入れを持っていたのか？　誰も住まわぬとわかっていながら一人この場所に来て、しばし佇むこともあったのだろうか？　自分は朧《おぼろ》にしか憶えてはいないが、遠屋敷はそれほどまでにあの部屋に愛着を感じ、頻繁に訪れていたというのだろうか？

壁紙や、額の絵までが同じだった。その中にはクレヨン描きの、幼い彼自身の手によるものさえあった。すべてが懐かしい。母と、幼い自分と二人だけの暮らし――そうではなかったわけだが――を、今や彼はありありと思い出していた。

そこにいたはずのもう一人を。決して嫌っていなかったどころか、訪れてくれるのを誰よりも楽しみにしていた男の面影を。幼い頃からほとんど会ったこともないと思い込んでいた父親、遠屋敷一眞が、自分達と過ごす時間をこうも大切にしていたことを。

33

この状態で睨み合いが始まってから、どれくらいの時間が経っただろう。透の方を見ると、右足の痛みに脂汗を流して耐えている。

「辛そうだな……今だけ我慢しろよ」

棟安がかけた言葉に、無言で頷く。こいつのことだから、申し訳なさが先に立ってじりじりしてるんだろうな。自分さえ負傷しなければ、事態を変えるきっかけになれたはずだとか何とか。透が撃たれる前、破風崎はそのための指示をしようとしていた。ということは代わって俺がその役割を果たさなければならなくなったわけだ。

「棟安、聞け」

壁の向こうの敵の動きに目配りしながら破風崎が言う。

「お前はここから離れて、マーカーを取りに行くんだ」

「おいおい、どうしてそんなものが必要なんだよ。ダイヤを見つけ次第、留萌《るもい》まで車を飛ばして漁船で逃げる手筈だろ？　賞金なんかもらいに行ってるヒマないぜ」

だからこそ、彼らは当初からゲームのルールも法も無視して、破壊の限りを尽くしてきたのだ。

「そうじゃない、この状況を変えるためにだ。撃ってきてるのが何者であれ、俺達とは違って競技が終われば攻撃を続けるとは思えない。このまま じゃ埒が明かないから、早く決着をつけるために他チームのマーカーを認証なしで外せ。アラームが鳴って救護班が来る。主催者側にも動きが出るはずだ」

「……そういうことならわかった。行ってくるから透を頼むぞ」

「俺なら平気だ……っ！」

無理に立ち上がろうとする透を棟安は慌てて止める。

「バーカ、後で逃げる時のために気力をとっとけ」

そうとも、ダイヤを摑んで大陸へ渡る、その時のために。

上の階へ行った棟安が戻るまでは、曲がり角の向こうの奴らを止めておかなければならない。しかし弾はもういくらも残っていない。このまま消耗戦になるのかと、破風崎は苦々しく思う。これというのもエントランスの破壊と、さっき遭遇した警備ロボットを相手に浪費したせいだ。

床の上に大人しく座り続ける透の方をちらりと見る。負傷していない方、左足のジーンズの裾はやや上がって見える。

「膝下に何丁隠してる？」

「一丁だけだ」

よし。手持ちの最後のマガジンが弾切れを起こす前にと言い渡した。

「すぐ使えるように、場合によっては俺に渡せるようにしておけ。だがまだ見える所には出すな」

「わかった」

相手がまた発砲してきた。破風崎はたった一人での攻防を続ける。


四階に到着した棟安は大股で歩きながらガスマスクを装備した。マーカーが設置された四〇五研究室へまっすぐに向かう途中では、あのいまいましい警備ロボットには一台たりとも遭遇しなかった。

四〇五研の扉はなぜか施錠されていなかった。もしされていたとしても、エントランスなどに比べてずっと軽量で薄い造りの内部ドアなど簡単に破壊してしまえるが。

拳銃を構えて踏み込んだ棟安は、部屋の内部が無人であるのを確かめてようやく警戒を解く。

正面のデスクの上に携帯電話に似たマーカーが三個、これまた携帯電話の充電装置に似た台にセットされて並んでいた。認証用の指紋は参加メンバー全員が登録を済ませていたが、貼られたシールには代表者一人の氏名が書かれている。読むともなしに読んだそれには《丹羽史朗》《田中一郎》などとあり、《破風崎仁》と書かれた中央が、自分達用のマーカーとわかる。

状況の攪乱が目的だから、認証手順を踏もうなどという気は最初からない。どれだって構わない。持ち返る必要もない。棟安は台に嵌め込まれたままのマーカーに歩み寄り、無造作にそれを取り上げ、机上に置いた。

途端にアラームが鳴り響き、どこからか気体の漏れ出すような音がし始める。ガスの噴出が始まったのだろう。棟安は他チームのマーカーには手を触れなかった。特に理由などなく、面倒だったのだ。

ガスマスクのせいで視界が狭い。ふと戸口に視線を走らせると、何者かが半開きのドアの蔭に姿を現しかけていた。思わず拳銃を構えるが、そいつはドアノブにすがり付くように立っていたかと思うと、見る間に頽《くずお》れた。やがて床に膝を着いて完全に横になってしまうまで、ものの十秒とかからなかった。

銃口を逸らすことなく遠巻きにして、本当に眠っているのかどうかを確かめる――眼鏡をかけた小柄な男だ――それから丸くなった身体を足先で返した。武装はしていない。警備員の制服ではない作業服を着ているし、管理人は老人だから、おそらく他チームのメンバーなのだろう。

棟安は考える。現状打開のためにこいつを人質に取るのも悪くないんじゃないか。この思いつきを、破風崎は何と言うかな？　そしてこうも思う。どうせ人質にするなら透が見とれたとか言っている、飛び切りいい女の方が嬉しいんだが。

眠っている男を抱え上げようと廊下へ踏み出すと、階段から上がって来たばかりのさっぱりした風体の男と目が合った。こいつも他チームの人間か。どうでもいいけど、また男かよ――幻の女はどこにいる。

34

丹羽と別れた俺はマーカーを目指して一人階段を上った。前後左右にさっきまでは確かにあった、相棒の気配を感じられないことがこれほど心細いと思わなかった。せめて身体を動かしている間くらいは忘れていられたら。

四階の階段室から出ようとした俺の目に入ったのは、ガスマスクを着けた背の高い男と、その足元に倒れている見憶えのある作業服の男。ホラー映画っぽいその構図から俺は一瞬にして状況を把握する。やっぱりそれをやる奴がいたか。他チームの誰かが計画的かつ意図的にマーカーを引き抜いて、その結果催眠ガスが噴出しているのだ。

俺は息を止め、くるりと向きを変えるとちょうど来ていた下りエレベーターに駆け込んだ。三階行きのボタンと閉じるボタンを押して、追っ手もガスもシャットアウトする。三階に着くとすぐにもう一度四階へのボタンを押し直す。この時間稼ぎはつまり、下りて上って来る間に鞄から簡易小型酸素ボンベを出して咥えるためだった。ボンべといっても太目のフェルトペンくらいの缶を左右振分けに配置し、中央にマウスピースを取り付けただけのこの装備、開放式だけにガスを吸わないようにする機能はガスマスクよりも消極的だが仕方がない。

四階、再び扉が開く。対決の予感。さっき俺が向こうを見た時、相手だってこちらに気付いていただろうから。

エレベーターの扉の蔭で待ち伏せをしていたらしい男はすぐさま襲いかかって来た。俺は身をかわして相手が倒れ込むのと入れ違いに外へ出ようとするが。そう上手くは運ばず、伸びてきた長い腕に後足をしっかり摑まれてしまう。振り回すように引っ張られ、バランスを崩した。相手の身長は百八十センチ以上、大柄なだけに強い力だ。

そうはさせるか。転びそうになりつつ半開きの扉に取り付いてどうにか身を支えた俺は、摑まれたままの足を蹴り出す。これが腕の付け根に上手く入って、敵はエレベーターの中の壁にしたたかに背中をぶつけた——はずだ、たぶん。

しかし男は即座に体勢を立て直し、俺に廊下に後ずさる時間しかくれなかった。よろしい、奴は喧嘩に強い。一方俺には格闘の心得がある——というか心得しかないのだ。胸倉を摑まれるのをどうにか避けると、代わりに斜め掛けにした鞄のストラップを握られた。しまった。男は空いた方の拳を振りかぶる。こめかみ目がけて打ち下ろされるそれを、ストラップの余裕の範囲で動いてやっとかわすが。次に膝蹴りが来ることまでは予想できなかった。

下腹に入った一撃。俺はあっけなく身体を折ってしゃがみ込む。さぞ豊富な実戦を積んだのであろう相手の男から、丸めた背中や頭に、何度も蹴りを浴びせられる。反撃どころか逃亡の気力さえも失くしかける。無抵抗になった俺は、易々と組み伏せられてしまった。いかん、このままボンベを奪われたら眠ってしまって一巻の終わりだ。

その時、視界の隅で何かが動いた。

「ぐうぅ！」

頭を押さえて蹲《うずくま》る男。各フロアに備え付けの消火器で、男を後ろから殴り付けた者がいたのだ。

背後に現れたのは、俺と同じ簡易酸素ボンベを咥えた丹羽だった。そのままではしゃべることができないため、身振りでマスクを奪えと訴えている。

俺は必死で起き上がり、男の後頭部にかかるベルトを摑んだ。長めに伸ばしているそいつの髪の毛も一緒に握ってしまったが、そんなことにまで気を配る余裕などあればこそ。

当たり前だが男の方もここで眠ってしまうわけにはいかないらしく、マスクを押さえて頭突きの体勢で突進して来た。俺はマスクを離さず進路から外れる。丹羽が男の後ろからタックルして加速を強める。二人の、いや三人の動きは見事連携して、マスクを剝ぐと同時に男の頭頂部を壁に激突させる結果となった。

敵はさすがに戦意を失ったようだ。床にごろりと仰向けに転がる。

「くそう……」

見たところ三十前後、マスクの下の日に焼けた素顔はなかなかの男前だ。頭に受けたダメージのせいで眩暈《めまい》でもするのか、何かを追い払うように首を振っていたが、もう起き上がって来ようとはしなかった。荒い息に数度胸を上下させて、ガスによる眠りに落ちてゆく。俺達はそれが狸寝入りだった場合に備えて警戒を解かず、たっぷり一分間以上身構えて待っていた。

戸口の前の床で熟睡している作業服の傍を通って四〇五研究室へ入る。デスクの上に設置されたマーカーを見つけた。三台並んだうち一台が台から外されている。ガスはこれのせいだ。

俺は自分達用のマーカーを台に置いたままでまずは観察する。携帯電話なら電源ボタンの位置に当たる《開始》ボタンを押すと、ディスプレイが明るくなり操作ガイダンスが表示された。下部にあるスリット状のセンサーをなぞるようにとの指示に従って人差し指をこすりつけてから、今度は通話ボタンの位置にある《認証》ボタンを押す。間もなくディスプレイに《認証完了》のメッセージが表示され、取り外すことができるようになった。

俺はマーカーを手に入れた。競技のトロフィーに、ひいては自由へのパスポートに結び付くこの小さな装置を、用意した緩衝材の袋に包んで鞄の中に大切にしまった。

改めて礼を言おうと思い、見れば丹羽は非常口で手招きしている。どうした？　俺は彼に続いて四〇五研究室を後にした。すでに室内からのガスが漂っている廊下から、建物外部の非常階段へ出ると、俺達はようやくボンベを口から離して深呼吸することができた。

「丹羽、ありがとう」

別れ際の最後の言葉もこれなら、また会えて最初の言葉もこれだった。俺には彼に言うべきことが他に見当たらない。

「ふん、結局僕って甘いんだよね。何しろお坊っちゃんだからさ」

丹羽は照れたような不機嫌なような複雑な表情を見せていたが、やがて穏やかな笑顔に変えた。

「僕の方にもまだ、君に白状しなきゃならないことがあるのを思い出したんだ」

「あるのか？　何が？」

丹羽は言い難そうに頷いた。

「これを返す」

リュックから取り出したのは見憶えのある、古びた黄色いスパイラルノートだった。

「君を誘った時、最後まで応じてくれなかったらこれを見せて説得しようと思ってた」

「……何でお前が持ってるんだよ？」

それは学生時代、買い取ってくれたテレビ局の先輩に、俺が確かに直接手渡したはずのものだったから。

「そうだよね。悪かった、テレビ局の話はでっち上げなんだ。そのノートを入手するために、僕が先輩に頼んで嘘をついてもらった」

「これをどうするつもりだった？」

「いや、別に。ただどうしても自分のものにしたくてさ」

わからない奴だ。

「なら、どうして……」

俺は古びた表紙と丹羽の顔を見比べた。

「どうだ、ますます嫌なお坊っちゃんだろ？」

そうかもな。だがどうしても訊ねないわけにいかない。

「このノートがそれほど欲しかったのか？」

「うん」

そんなのは、嘘だ。

俺は今にしてようやく理解できた。丹羽の目的は、あのノートを自分のものにすることではなく、その対価を俺に渡すことだったのだ。あの金によって俺はバイトをいくらかセーブし、卒論のための時間を買うことができたのだから。それが丹羽、お前のおかげだったとはな。くそっ、目の前が曇ってきたじゃないか——。

暮れ落ちた紫紺の空の下に広がる遠くの山の稜線に、無理やり視線を転じた。風が強いのがありがたくてならない。

「——で、お前の方は証拠書類が手に入ったのか」

「それがダメなんだよ。五階は部屋が二つあって、片方は人工掌の静脈認証で済んだけど、もう片方はお手上げ。君の手を貸りないと」

この上どんな手を。奥の手か？

35

五階行きのエレベーターを降りると、丹羽の言う通り内装も間取りも他のフロアとは違っていた。南北の突き当たりにはそれぞれドアがある。そのうち南側の部屋は、用意した人工掌で難なく開けることができたらしいが。

「中に何があった？」

俺がそう訊いた時、丹羽は少し言葉を濁した。

「——あれは、まあ、遠屋敷の私室だ。求めるものはなかった」

「そうか」

言いたくない何かがあるのなら詮索はすまい。俺の目的はマーカーで、それはもう手に入れた。今度はお前の番だ。

「こっちの部屋はそれだけじゃ開かなかった、と」

俺は北側の扉の前で操作パネルを検分した。なるほど、エントランスからここまでに見たどの操作パネルとも異なり、横長のスクリーンユニットが追加されている。訪問者の目の部分を映し込むためのカメラで、これがあるということは虹彩認証方式を採用していることになる。

「眼球をチェックさせろというメッセージが表示されたんで僕ので試してみたけど、まあ当然ながらエラーが出てそこから先へは進めない。門脇、人事部から持ち帰ったデータには、虹彩や網膜のものも含まれていたんだろ?」

「ああ、確かにな」

遠屋敷会長に限らず、セキュア・ミレニアムの社員が生体認証データを登録あるいは更新する時は、その時点で実用化されているあらゆる種類のデータを採取するのが常だ。虹彩パターンもその一つで、持ち帰ったデータの中に含まれてはいたが。俺は自社製品のテストが目的である今回のトライアルで、セキュア・ミレニアムでは製品化していない虹彩認証への対策が必要になるとは考えなかったのだ。現に今日の前に設置されているユニットは、その技術で先行する海外の他社製品である。

「データはあるが、読み込ませるのに適切なギミックを用意して来なかった。インターフェイス装置を欺くには必ずしも人体の部位にそっくりである必要はないが、それなりの形状に加工しなければ無理だ。その人工掌みたいに」

「それじゃさ、このパネルを外してカメラ映像の変換装置より向こうに端子を繋ぎ、規格に沿って変換したデータを直接流し込んでやるってのは？」

可能だろう、原理的には。でも俺はスーパーハッカーじゃないんだ。

「期待に応えられなくて申し訳ないが、俺の才能はそっち方面じゃない。仮にここへ中井を連れて来て必要な機材を与えてやれば、あるいは実現可能かもな」

丹羽は少しもがっかりした風じゃなかった。彼にだってわかっている。諦め切れなくて口にしてみただけなのだ。いよいよ覚悟を決めたかのように、ただぽつりと言葉を吐いた。

「……無理か」

俺はおもむろに口を開く。

「諦める前に、まだ試してみることはある」

丹羽は顔を上げた。俺はこいつのこんな切実な表情を見たことがない。

「それって何？」

「断わっておくが、今お前が言ったようなスマートな方法じゃないぞ。過激でどさくさ紛れの、後になってあの弁護士から損害賠償請求が届くかも知れないような」

勢い込んで彼は請け合った。

「いいさ。金銭面と渉外は僕が全力でフォローする」

アイデアマンとコーディネーター、かつての名コンビの復活だった。おまけに俺の手にはあの黄色いスパイラルノート。動悸が早まるのを感じる。どうだろう、学生時代を思い出しても構わないか？

「――だったら期待に応えられるかも知れない」

「それは僕もだ」

俺達は顔を見合わせて笑った。そうこなくちゃ。

「それにはまず、二つばかり調達しなければならないものがある。丹羽、向こうの部屋は居住スペースだと言ったな。そっちを探すぞ」

「あ、うん」

認証を通過し南側の扉を開けて、俺は少なからず驚いた。そこは何というか、遠屋敷一眞の私室と聞いて想像していたよりもずっと、家庭的で生活感溢れる空間だったからだ。それに内装や調度のすべてが、決して新しくはない。これは――？

「これ、僕が小さい頃に母と暮らしていた部屋。どういうわけかここに再現されてる」

そうなのか。だが遠屋敷一眞が抱いている感傷がどのようなものであったとしても、それを共有する丹羽の心境にどのような感慨をもたらしたのであったとしても、俺の立ち入ることではない。こいつの気が向いたらそのうち何か話すだろう。気を取り直して俺は中へ踏み込んだ。

「門脇、何を探せばいい？」

背中には彼の心得た問いが発せられる。

「そうだな、スプレー缶だ」

「スプレー？　何の？」

「何でもいいが、可燃性のやつな。選別は後でするから、とにかくそれらしいのを見つけたら全部集めておいてくれ」

「わかった。君は？」

「もう一つの方を調達しに行って来るよ。すぐに戻る」

俺はエレベーターで四階に下りるともう一度簡易酸素ボンベを咥え、さっきガスマスクを引き剝がした男前に近付いた。大丈夫、まだ眠っている。その寝顔に覚醒の兆候が表れないか細心の注意を払いながら、俺はそいつの着衣の各所を検めた。シャツの胸ポケット。ジーンズ。腰のベルトに挟んだ拳銃を見つけてぎょっとするが、手を触れないようにさておく。

二〇〇四年現在、日本人成人男性の喫煙率は四十三・三%、俺も丹羽も含まれない。だが幸いこいつはその四十三・三%の一人だったようで、ジーンズの後ろポケットに期待したものを入れていた。それはチープなプラスティック製の百円ライター。

やった。俺はライターを握り締め、いそいそとエレベーターで五階へ戻る。

どうだったと目で問う丹羽に、あったぞと目で返しながら、口ではどうでもいいことをほざいた。

「お坊っちゃんに火遊びは似合わないかな？」

丹羽の足元にはざっと五、六本ばかりの様々なスプレー缶が並んでいた。俺はその中でも比較的大振りで中身のたっぷり残っている、ヘアスプレーを取り上げた。実際、本来の用途は何だっていいのだ。可燃性という点が重要なのである。

「さて、アイテムは揃った。こいつで上手く警備ロボットを動員できるかどうか」

「警備ロボットを？」

丹羽は信じられないという顔をした。俺は北側の部屋のドアの前まで進んでしゃがみ込んだ。

「マニュアルには、簡易災害救助活動の機能があるって書いてあったろ」

ドアの下には二センチくらいの隙間がある。さっきまでいた南側の部屋は飴色のフローリング仕上げだったが、この開かずの間の床はありふれたグレーのアクリルカーペットだ。

俺はスプレー缶を取り上げ、《火気厳禁》と書かれているのを確かめた。それをよく振り、左手に持ち替えてノズルからの気体をドアの下から室内へ吹き込みながら、右手のライターを近付けて火を起こす。この即席の火炎放射器は見事に図に当たり、棒状に伸びた炎は扉の奥深くまで届いたようだった。

爆発の危険を回避するため、スプレー缶本体が加熱する前に一旦噴射を止める。腹這いになって隙間に顔をつけると、細長い視界から室内の様子がいくらか見て取れた。防炎加工が施されているカーペットは表面がうっすらと茶色くなっただけだったが、問題は部屋の奥だ。炎の舌が舐めた先、何でもいいから火の点きやすいものがあれば——あったようだ——当然燃え上がるだろう。俺が期待しているのはそれなのだ。

部屋の中では微かに空気が動いているのがわかる——やがて火災報知器が鳴り響く。これがさっきカーペットを焼いた時でなく、今作動したという事実は、室内で何かが燃え、ある程度の高さまで炎が育っているということを示している。いいぞ、燃えているのは何だ？　あれか、調度品の埃除けにかけてあったシーツのような布だ。

俺の意図と中で起きていることをようやく察したらしい丹羽の奴が、今さら隣で悲鳴を上げる。

「わあっ、勘弁してくれよ！　証拠の文書が燃えてしまう」

「あるいはな」

だがそれはあいつらが早いとこ消火活動に来てくれなかったらの話だ。

「室内の検知器が炎に反応すればスプリンクラーが作動し、警備ロボットが自動呼集され、救助活動をするためにこの部屋を開錠してくれる。覚悟を決めろよ。証拠が燃え尽きるのと、奴らが到着するのと、どっちが早いかだ」

「頼むよ……頼むから早く来てくれ……」

丹羽は気が気でないようだ。

「腹を括れって。これでダメなら、お前の子供は別の方法で取り戻そう。俺が一緒に考えてやる」

彼には悪いが一瞬だけ、そうなればいいと思った。許せ丹羽。友と一緒に何かを目指して事を構える、得がたい充実と高揚。この時がもう終わろうとしているのが、俺にはただ辛かったのだ。すまない、こんなのは、あまりにも感傷的で身勝手過ぎる。

その時、エレベーターの動く音がし始めた。

期待を込めて見守る俺達の前で扉が開く。一台の警備ロボットが見憶えのある奇妙な姿で躍り出て、聞き憶えのある奇妙なアラームでショウの始まりを告げた。

「ほら、お待ちかねのヒーロー登場だ。今度くらいは擬人化したっていいだろ？」

「許す」

心底ほっとした声で丹羽は言った。

36

草壁と梁本はまだ梓を見つけられずにいた。探している途中で何者かに発砲され、防戦せざるを得なくなったからである。エレベーターホールの向こうとこちら、両者とも銃を構えて壁の蔭から踏み出そうとするや否や引き金を引く。千日手だ。

前方をじっと見据えて敵が壁の蔭から顔を出すのを待ち構えていた草壁は、弾丸だけが空《くう》を切って飛んで来たのを見て、いまいまし気に吐き捨てる。

「あの連中は何だって拳銃なんか持ち込んでいるんだ。違法じゃないか」

それは奇妙な呟きだった。彼らがここへ侵入していること自体がすでに違法なのだとは考えず、訓練であることを信じきっている人間の言葉だ。

「それは彼らが本物の強盗だということでは？」

「訓練としか聞いていない。第一、こんなところにわざわざ盗みに来るものがあるか」

「何かあるんでしょう。御存知じゃありませんか」

梁本はこの言葉に対する草壁の反応を注意深く見守るが、淡々と返される。

「情報が目当てのマスコミや同業他社なら、もっとこっそりと動き回るもんだ。あんな物騒なものを振り回してどうする」

「――そうですね」

この人はやはり事件とは無関係なのか。どうもそうらしい。

「それでも社内の関係者だけで執り行っていた去年までは、こんなに無茶をする人間はいなかった。お前さんは、何とかトライアルというのを聞いたことがあるか？」

「ええと《ブレイクスルー・トライアル》とかいうやつですか？」

草壁は梁本をさも憎らしそうに睨み付けた。ああ、僕が悪いんじゃないのに。

「それだ」

インターネットやその他の媒体で参加者募集をしていたのを見たことはあった。だがそれが今この場所で行われているとは思いもよらない。

「その募集に応じた頭のおかしな奴らがたくさん押し掛けて来ているせいで、こんなことになっとるんだ」

「本当なんですか——それじゃあの参加者のやってることは違法じゃないですか！」

「だからそう言ってる」

その時、視界の隅を寄切るものがあった。梁本にとっては前方の床の上に壁からはみ出して動く何かが見えただけだったが、ずっと壁との境を注視していた草壁は、機会を逃さず次の一撃を放つ。

「当たったようだ」

はみ出していたのはスニーカーの爪先だった。悲鳴の次に腕が出て来て足首を摑んだかと思うと、小さく怒号のようなものが聞こえて壁の後ろへ完全に姿を消した。

梁本は今さらながらに思い知らされる。この老人は本気だ。そして本気こそがこの場合、ああいった連中に対するのに相応しい。

こちらからの発砲は何度に及んだだろう。そのうち何発が当たったのか。草壁は残弾を把握しているのか。そんなことが気になり始めた頃。

『侵入者発見、侵入者発見。IDカードの提示または暗証番号の入力を行ってください』

明滅する光と人間の声で録音されたメッセージを発しながら、奇妙な物体がこちらへ向かって来た。

「何なんですかあれは。ロボット？」

草壁はそれには答えず、無造作に歩み寄って行く。

『時間内に至急IDカードの提示または暗証番号の入力を行ってください』

「あ、危なくないですか？」

「お前さんは来るな」

そうしてひょいと手を伸ばして、前面に設けられたキーを叩いた。

『認証完了、巡回を続けます』

大人しくなったそれはゆっくりと去って行った。

「全部で二十台ばかりあって、いつもは研究員がメンテナンスしている。わしから見ればあんなもの、出来の悪い玩具みたいなもんだが、連中は大真面目だ。次世代の主力商品らしい」

吐き捨てるように言う。台数についてはロボットのことなのだろうが、《連中》がロボットを指すのか研究員を指すのかはよくわからない。

「研究員の方々はどこに？」

「今日は出張や研修や休暇で、たまたま誰もおらん。そこへ持ってきてこの騒ぎだからな。会社側の指示かも知れない」

なるほど、そうかも知れない。梁本はずっと不思議に思っていたのだ。ここを訪れた時から、草壁以外の関係者は一人も目にしていないことを。

「それじゃ警備ロボットの操作方法についてはよく御存知なんですか？」

「いいや。操作も何も、管理人室の壁のスイッチは専ら非常時に起動するためだけのもので、消火器や非常ベルのように誰が押してもいいことになっている。アラーム解除のための暗証番号は教えられているが、操作は教えられても許されてもいないし、通信カードもない。どうしたものやら」

制御は自動か、あるいは監視カメラの映像を頼りに本社など遠隔地から行っているのだろう。とすれば管理人であれ来客であれこの建物内にいる限り、侵入者と同様に警告を受け続け、暗証番号を入力し続けるしかないのか。ならば梓は。

「彼女は暗証番号を知っているんですか？」

「いいや。この前あれが来た時にはまだ導入されていなかったからな。暗証番号はおろか、あんなものの配備自体を知らないはずだ」

「危険ですね。もしも——」

参加者の中に善意でない、違法性を気にも留めない者が含まれている。その一方で警備ロボットの行動原理は相手が誰であれ無差別だ。不幸にして両者が同時に現れたら——。おそらく草壁も同様の危惧をしていたのだろう。みなまで聞かず頷いた。

「梓は、あれはどこへ行こうとしているのかわかるか?」

おそらくは——梁本は考える——すでに探した地下以外の場所でダイヤを探索しているはずだ。草壁に対してはダイヤのことに触れず、上の研究室だろうとだけ告げる。

「とにかく、二十台もいる割にはこの辺りを動き回っている台数が少な過ぎる。梓を追って行ったんでなければいいんだが」

草壁によれば警備ロボットには、平常時はむしろ一つ所に偏らないよう分散する機構がある。不審者を追っていない時は互いに連携し、ワンフロアに数台ずつ配置する巡回モードに切り替わるのだという。この階に一台もいない状態は逆に、どこか別の階で盛んに捕物が行われていることを暗示している。

「お前さん、外を迂回して通用口から入り、向こうの奴らを取り押さえる自信はあるか？」

　おもむろに持ちかける老人の言葉に、梁本は唇を噛んだ。

「不意打ちを食らわせる自信ならありますよ。取り押さえるのは人数によります」

「しばらく前までは二人以上が撃っていた。それが今は、少なくとも発砲しているのは一人きりに減っている」

　銃声が重ならないことや弾筋でそれがわかるのか。

「ならばできるでしょう。でもあと一つだけ問題があります。僕は外へ出るともう入って来られなくなるんです」

「妙なことを言うな。今ここにいるのはどうしてなんだ」

「それは――ええと――ある特殊な方法を使って」

　さすがに梓を抱いて入ったと説明するのは憚《はばか》られた。

「これまた妙なことを」

　草壁の表情には微かに愉快の色が浮かぶ。

「これを使うといい」

　渡されたのは利用者点検用のＩＤカードだった。

奇襲の使命を帯びIDカードを携えた梁本は、エントランスホールへ出て愕然とする。認証システムが徹底的に破壊し尽くされていたからだ。爆発でもあったかのように辺りの広い範囲が焼け、火薬とプラスティックの焦げた臭いがした。操作パネルはおろか、強化ガラス製のドア自体がなくなっている。床に貼られたタイルまでが陥没し、粉砕され、飛散していた。もう閉じるドアのなくなってしまったエントランスの向こうには、わずかに外部自動ドアのガラス一枚を隔てて荒涼たる闇と冷気が口を開けている。

建物外壁に沿って北側へ回った。どこへ追いやられてしまったのか、番犬の姿は見えない。ひどい目に遭わされたのでなければいいが。一方裏口付近には草壁の飼い犬用らしき手作りの犬小屋があった。しかし青い布の敷かれた中は空っぽで、柵から伸びたリードの先にも何もいない。

裏口の前に立ち、入る前に考える。敵がいるのはこの内側、ほとんど距離がない場所のはずだ。ドアを開ける時の物音で気付かれてしまったらまずい。梁本は一計を講じた。一階屋外から地下倉庫へ通じているはずの荷掃き用スロープ、あれを使えないだろうか。

スロープ入口へ回ってみれば、ここの扉にもエントランスや裏口と同じ操作パネルが設置されていた。草壁から渡された点検用IDカードのためのスリットは見当たらないが、通常は使用しないため蓋に覆われているのだと聞いている。教えられた通りにテンキーを操作すると、パネルが開いてスリットが現れる。カードを通すだけで、それ以上の認証を求められることなくロックは解除された。

用心しながら外扉を抜け、地下への緩いコンクリートのスロープを下る。突き当たりはもう地下倉庫前の廊下だった。階段室で耳を澄ますと、上の方から銃声が響いて来る。

よし、いいぞ。階段室には扉がないため、開閉で気付かれる心配はない。上れば敵の背中に手が届きそうなすぐ後ろで、奇襲攻撃には好都合だ。大勝負に出る前、梁本はこんな具合に自分に優位な点を数え上げる癖があった。そうやって気持ちを奮い立たせるのだ。

足音を忍ばせて一階への階段を上る。上り切ったところでまた銃声が起こって、今度は複数の弾が壁や床に弾ける音までが聞こえてきた。草壁の散弾だ。

壁に半身を隠して窺い見ると、痩せた男の後ろ姿が目に入る。エレベーターホールを隔て、さっきまで自分がいた場所に狙いを定めて拳銃を構えるその男以外、辺りに人はいなかった。いや違う、いる。男の足元に、壁にもたれて座る若者——右足の先をスニーカーごと撃たれ、攻撃には加わっていないけれど。

梁本は両者に体格で勝っていることをありがたく思った。だがそのことに頼り過ぎないよう肝に銘じる。せめて自分の大げさな見た目に一瞬でも怯んでくれ。そういう小心者であってくれ。深く息を吸ってタイミングを計り、踏み出した。

いきなり背後から羽交い絞めにしようとする意図に反し、すんでのところで気付かれてしまう。だが振り返った直後、拳銃を構えるか素手で攻撃するかに迷って、敵は一瞬の隙を見せた。白髪の目立つ中年男だ。

発砲までの間に素早く相手の懐へ飛び込み、男の右手首を摑んで銃弾を逸らす。そのまま肩を押して身体ごと壁にぶつけた。もう一度。さらに一度。同時に手首の腱のところに親指をめり込ませて圧迫すると、後頭部と右肘をしたたかに打った男は、ついに拳銃を手放した。

落ちた銃はすかさず自分の背後へ蹴り飛ばす、その動きが仇《あだ》となった。男の膝が梁本の下腹部に入ったのだ。その場にうずくまって耐えている間に敵は床の上の若者と何やら言い合って、通用口の方へ走り去った。それでいい、深追いはすまい。

顔を上げると残った若者が壁を伝って立ち上がり、こちらを睨み付けていた。梁本は逃げた男の拳銃を拾い上げて牽制する。

「抵抗しなければ危害を加えない。救急車を呼ぶから、座って大人しくしているんだ」

こんなことは形ばかりで、自分にはこれを使う資格もつもりもありはしない。そのままの姿勢でエレベーターホールの向こうへ怒鳴った。

「草壁さーん、こっちはひとまず大丈夫です」

「怪我はないか」

「ええ。僕の方には」

エレベーターホールを抜けてやって来た草壁は、壁際の若い男を見て溜息をつく。

「世話はないな。あんな無茶をするからだ」

そうして梁本の方を向いて続けた。

「——この馬鹿者め。何をしていたんだ」

はあ？　こっちは命がけで事態打開のきっかけを作ったのに。確かに敵を取り逃がしはしたが、あんまりな言われようだな、と思って顔を見ると、草壁の視線は自分より後ろに向いている。

そこには梓の姿があった。老人の叱責は、彼女に対してのものだったのだ。

「……剛！」

駆け寄って来て抱き付いた背中を撫でてやると、離れていた時間はほんの少しなのに、いつもの香水をとても懐かしく感じる。

「よかった、無事だったね」

娘の帰還に安心するが早いか、草壁は次の指図をした。

「他人に危害を加える意図のある者がうろついている。お前達は外へ逃げるか、管理人室でじっとしていろ。しかし警備員は呼ぶんじゃないぞ」

言い捨てて老人はなおも侵入者を追って行ってしまった。梓は梁本の首にしがみついたままで耳元へ囁きかける。

「地下倉庫へは入れなかった。中にロボットみたいなのがたくさんいて」

「それをどう扱えばいいかはさっき教えてもらったよ。だけど別の理由で危険が大きすぎる。ダイヤを探すのはひとまず置いて、お義父さんの言う通りにした方が良さそうだ」

37

最初の一台が現れたと思ったら、二台目以降は続々と到着した。非常時の警備ロボットは不審者対策よりも消火活動を優先させるらしく、さっきまでと打って変わってこちらには一切構おうとしない。興味深く見守る俺達の前を、閉じたままの部屋の扉へまっすぐに向かった。

その時。

建物全体を振動が走り抜ける。立っていられない程ではなかったが、しばらく続いてぴたりと収まった。地震か？

「揺れたね」

ロボット達は当然だが気にする様子もなく——しまった、擬人化だ——扉の前で静止して、操作パネルの一角にある端子をサーチしていた。ほどなく位置を特定し、頭部から伸ばしたアタッチメント付きの細い腕を接続する。そこから先はすぐだった。操作パネル側が読取完了を示す小さな音を発したかと思うと、ロックの外れる物理的な音が続き、あっけなく扉は開かれた。

到着からこの間三十秒足らず。なかなか優秀だ。さっきの振動がなければもっと素早いのかも知れない。中の様子を見て丹羽は一声嘆いた。

「やられた……」

「どうした？」

「燃えなかったのはいいけど、これじゃ水びたしだよ」

さもあらん。俺は無言で肩をすくめる。天井のスプリンクラーからは盛んに散水が続いていた。警備ロボットは火元だった場所へ向かい、消し止められているかどうかを確認しているようだ。不充分なら内蔵されている消火剤の散布を行うのだろう。

その傍を通り抜けて、奥へ駆け込む丹羽の後に続く。窓のない書斎風の室内にはデスクと、安楽椅子と、壁際は全面が造り付けの書棚。あるものはきちんとファイリングされ、またあるものは積み上げただけの、雑多な書類や封筒の山。むろん全部びしょ濡れだ。俺は丹羽の背中に問いかけた。

「おい、どんなものを探せば——」

二度目はその時だった。またも振動が湧き起こる。

「うわっ、またか」

今度は揺れるというより何かが壊れるような、さっきのよりもっと大きな動きに思えた。そしてもう一つ、さっきのと異なる点がある。振動は止まらず持続したのだ。

ロボットが開けたままになっている扉から一旦出て、俺は南側の部屋へ行こうとした。あっちの部屋なら広い窓がある。外の様子がわかるだろうし、脱出を迫られた時のために退路を確保しておこうと思ったのだ。

ところが予想もしない事態が俺の行く手を阻んだ。廊下の両端で、さっきまで同じだったドアの高さが違っている。信じられないことに、南側の部屋のドアがある壁は、さっき見た時よりおよそ十センチばかりせり上がっていたのだ——と思ったらそれも違っていた。壁が上がっているのでなく、床が下がっているというのが正解である。俺はこの事態を呑み込むまで、たっぷり二秒ばかりかかった。

すぐさまトランシーバーを手に取る。向こうの部屋へ行けないのなら、別の方法でもいい。何が起こっているかを知りたい。

「中井、そっちから見た様子を教えてくれ。この建物はどうなっている?」

返ってきた答えはあながち予想を裏切らない、それでいて到底信じ難いものだった。

「建物が倒壊し始めている。土埃ではっきりとはわからないが、北側を中心に、地面に沈んでいくように見える」

ならばここはどうなる?　明らかに北側に位置するわけだから、崩れてしまうのか?

「南側はどうなってる。そっちへ逃げた方がいいか」

「いや……ちょっと待って。ダメだ、そうとも言えない」

「具体的に頼む」

「ここから見える限りでは、北側は形を保ったまま下に沈んでいるように見える。それに引きずられる形で倒壊しているのはむしろ南側の方だ。脱出して建物を離れるに越したことはないが、それが無理で内部に留まらざるを得ないのなら、俺だったら北側の上層階へ逃げる」

中井の言葉を裏付けるように、南側の部屋へ通じるドア枠が呆気なくひしゃげ、壁に亀裂が走った。

「的確な御意見をありがとう」

「どういたしまして」

ということであれば、五階北側にいる俺達は、下手に移動しない方がいいことになる。そのことを伝えるために、俺は丹羽がずぶ濡れになって探索を続けている部屋へとって返した。

38

管理人室から戻って来た梓が言った。

「電話、ダメだった。どこにも繋がらないから見てみたら、回線が切られてるの」

梁本は念のため電波状況を確認していた携帯電話を閉じてポケットにしまった。

「こっちもだ。君の言う通り完全に圏外だ」

さてどうするか、と傍らの若者を見下ろした。抵抗する気はないらしく大人しく座っているのはいいが、顔色が悪く、動きが鈍くなっているのが気掛かりだ。廊下に流れた血は結構な量で、それももう乾いて色が変わり始めている。

「君、大丈夫か？」

視線を正面の壁に据えたまま、若者は無言で頷いた。だからといって放ってはおけない。救急車を呼ぶには一番近い人家まで歩いて電話を借りるのがいいか。それとも車道へ出て通りかかる車に頼むのがいいだろうか。いずれにせよこの状況でこれ以上梓と別行動は避けたい。草壁が戻るのを待つべきだろう。

腹を括ると梁本は手にした拳銃を若者とは反対側の床に置き、自分もその場に腰を下ろした。

「まあ座ろう。長丁場になりそうだ」

梓は疲れた顔をしてへたり込んだ。

「――結局、探し物は見つからずだった。地下倉庫にも、上の研究室にも」

「研究室へも行ったの？」

「うん。でも誰もいないの。本当に一人も」

梁本は頷く。

「お義父さんに聞いたけど、全員が出張や休暇で出払ってるそうだ。会社の指示かも知れないって。今が大掛かりな防犯訓練の最中だというのは、どうも本当らしいね。《ブレイクスルー・トライアル》って知ってる？」

梓は知らない、というように長い髪をかき上げる。

「訓練なのにどうしてそんなこと……」

梁本はかなり確信を持って、考えていたことを言った。

「ここの警備システム丸ごとをテストするためにかな。建物も認証システムも警備ロボットも管理人も含む、全部をだ。余計な要素を排除した状態で、参加者にも管理人にも抜き打ちで」

梓は目を見開いて彼の顔を見ている。

「……誇大妄想じみてない？」

「まあね。あるいは」

なぜかバツが悪くなって梁本は引き下がった。自分が企画したわけでもないのに。

「危険な目に遭わなかった？」

「どうにか。上では変な三人組を、地下倉庫ではたくさんのロボットを見たけど」

「三人組って？　この子達じゃなく？」

「違うの。三人ともすごくダサくて、お揃いの作業服なんて着てて、最後の一人はシャツをはみ出させてるもんだから、それをハルに引っ張られてたりして」

梓は少しだけ表情を緩ませた。それほど滑稽な様子だったのだろう。

「ハルって？」

「お父さんの飼ってる犬の名前。この辺一帯は人も住まないから、半分放し飼いみたいにしててね――」

その時突然鳴り出したけたたましい音に、梓は飛び上がりそうになった。

「……火災報知器？」

さっき取り逃がしたこの若者の仲間の男。梓の言う作業服の三人組。おまけに今度は火災警報だと？

「いいか、お義父さんにはそうしちゃいけないと言われたけど」

梁本はしっかりした声で言葉を発する。外の気配を気にしながら真剣に頷く梓。

「電話線は切られてる。僕らは怪我人を抱えていて、この非常事態だ。救助を頼むために警備会社への直通回線を利用する、つまり警備員を呼ぶことにする。いいね？」

再び管理人室へ向かった梓が指示通り済ませて戻って来た時。

「うわっ！」

激しい揺れが起こった。一旦止んで、再び。今度は沈んでゆく感覚。

「地震なのか？」

これじゃ非常事態のてんこ盛りだ。梁本は梓に拳銃を渡す。

「安全装置は解除してある、気を付けて構えて。僕がこの子を背負うから、まずは一緒に外へ出よう。道路の傍に降ろし、そこで君は警備員と救急車を待つ」

「お父さんは!?」

「心配いらない、僕が助けに行く」

39

捕獲されたSQR－05は、警告モードを強制的に解除され、メンテナンスモードの状態で前面操作部のパネルを外され、内蔵のマザーボードをまんまと取り出されていた。警備ロボットにとって、技術的知識と研究者的興味に加え原始的工具箱を備えたこの三人組は、最も嫌なタイプの侵入者だと言える。

「さあ、これで開発部の奴らに土産ができた。みんな大喜びですよ」

「そうだな。会社も評価してくれる。昇格や報奨金があるかも知れない」

メタルフレームは言うだけ言ってみた。

「――一億円くらい？」

セルフレームは少々嫌な顔をする。

「そんなはずないだろう」

「ですよね」

二人共笑った。元より出世や金銭のためではないのだ。それはお互いわかっている。

「それじゃ、上の様子を見に行きますか」

揺れが襲ったのは、作業場にしていた荷物の山を下りようとした時だった。二人は天井や壁にすがって止むのを待ち、急いで床に辿り着く。

「階段で行くぞ」

一向に収まらない振動の中、壁伝いに上る階段は果てしなく続くように思われたが。それでもやっと四階に行き着いた。階段室の出口から南側奥、マーカーが設置されている四〇五研究室方向を見渡すと、そこには二人の人間が倒れている。まさか。

近寄って見ればエレベーターの前に倒れているのは背の高い見知らぬ男だった。そして廊下より一段高くなった四〇五研入口近くで、眠りこけている縁なしを発見する。

まったく、これだから文系は――セルフレームは内心で舌打ちすると共に、安堵もした――無事でしかも見つけやすい所にいてくれた点は助かったというものだ。

「気をつけてください、ガスがまだ残っているかも知れない」

メタルフレームに言われて思い出す。しまった、どうしてすぐに気付かなかったのか。こいつが眠っているのはガスが原因なのだ。おそらく、どこかのチームが無闇にマーカーを引き抜いた。意図的にかどうかはともかくとして。

セルフレームとメタルフレームはたっぷり十秒間ばかり、お互いの顔を見つめ合って立ち尽くしていた。ガスはすでに薄れて散ってしまったのか、何の兆候も表れないのを見てとると、すぐまた行動を再開する。二人は眠ったままの縁なしを両側から支えてどうにか立たせた。

振動はまだ続いている。認めたくはなかったのだが、さっきからどうも建物全体が沈みつつあるような気がしていたセルフレームは、今まさにそのことの裏付けとなる光景を目の当たりにしてしまった。南側の四〇五研のドアを取り巻く壁に亀裂が走り、音を立てて広がったのだ。それから南側の壁が完全に崩壊するまで、あまり時間はかからなかった。

「逃げろ！」

エレベーターの方へ行こうとするセルフレームをメタルフレームが制する。

「そっちははもう危険だ。また階段で下りましょう」

廊下で倒れている背の高い男。

「くそっ、エレベーターが使えたら、この男も連れて行けるんだが――」

理系の二人はぎりぎりで下した判断により、四人で身動き取れなくなる事態よりも、三人だけでも脱出する可能性を選択せざるを得なかった。

40

北側の部屋にいると、強い振動や次第に沈みゆく動きは少しましに思えた。時折耳に入る、岩石が押し砕かれたり、弾力のある金属がたわんで跳ね返りざま何かを弾いたりする音が、経験したこともないような圧倒的な力を想像させて、聞く者の不安を呼び覚ましはするが。

「――ふうん。すると南側は壊れるに任せて、北側だけが着実に沈んでいってるわけだ。これは建物の仕様なんだろうかね」

俺が中井の言葉を伝えると丹羽は、およそ状況に似合わぬ暢気さで呟いた。しかしその間も篠突くスプリンクラーの散水を浴びながら書類を探す手は止めない。

「馬鹿言え。何だよ、仕様って」

「例えば、地下シェルターとかさ」

「シェルターだと？　そんな——いや、あり得るかも——そうか！」

俺は鞄から水分をたっぷり含んだ図面を引っ張り出してその仮説を検証する。この建物は地上部分の一部が地下に収納される形式の、可動式シェルターである。そういう目で見れば、南側と北側の間に防火シャッター風の仕切があるのに気付く。南側の構造柱や梁、あれはダミーか。北側だけ外壁がやたらに厚かったのも、二重構造と理解すればいい。北側部分には面積や形がまったく同じ、地下倉庫と地下二階のあることにも納得がいく。そうすると、こうまで辺鄙《へんぴ》な土地に、こうまで独立系のシステムを構築したことも理解できるというものだ。これは仕組まれた機構なのだ。

俺は半分くらいはわかったような気がした。しかし後の半分はまだすっきりしない。何を想定してそんなものを？　地震か、戦争か、テロか。

「もしそうだとして、どうしようってんだ、こんな荒唐無稽で大がかりな仕掛けを」

図面を睨み続ける俺に、探し続ける丹羽は訳知り顔でぽつりと言う。

「遠屋敷はこれを中国に売るつもりだった」

中国？　俺は瞬時に量り知れないチャイナ・リスクに思いを馳せる。そういうことなのか？　今思えば内覧会の顧客名簿には、漢字三文字の名前がずらりと並んでいたっけ。あれはかの国の近年成長著しい経済力のみならず、今後の主要ターゲット顧客層をも示していたのだ。確かに現代中国の金持ちなら天災から伝染病、政権交代から内戦まで、ありとあらゆる事態を想定しておく必要があるというものだろう。

そうか――解けなかった謎の答えはここにあった――衛星写真の解像度がやけに高かった理由も、米国ＮＳＡが監視したかった対象も、やはりこの場所なのであり、元からそのような用途と顧客層と販売戦略を背景にした、研究所兼ショールーム兼商品サンプルとしての、この施設であったのだ。

すると、丹羽が押さえようとしている遠屋敷の不正の証拠というのもその類か？

「丹羽、お前このことを知ってて隠してたな。中井と俺があれだけ不思議がってたのに、しらばっくれやがって」

続く澄ました言い草ときたら。

「当然さ。この御時世、どこに産業スパイが紛れ込んでるか知れたもんじゃないからねえ」

そんなことを嘯《うそぶ》いて悪戯っぽく笑ったかと思えば。

「嘘だよ。僕だってあの時点ではわかっていなかった。遠屋敷が将来の大口受注と引き換えに中国高官に便宜を図ったことを、すでに調査済だったのは認める。だけど何を売ろうとしているのかは、中井君の指摘した衛星写真の謎をきっかけに、あの晩徹夜で調べるまでは気付いてなかったよ」

それで徹夜なんかしてたのか。

「で、このまま沈んでいくとこの部屋はどうなるんだ？」

「さあね。地下室になるんじゃ？」

振動はいよいよ強くなる。俺と丹羽は、まだこの中に留まり続けようとしている。スプリンクラーが作動し続ける部屋の中は水びたしになっていて、一歩進む度に踏み締めたカーペットから水が染み出て来た。

「——門脇、君はもうマーカーを手に入れたんだからさっさと逃げ出せよ！」

水は依然丹羽の上に振り注いでいる。むろん、俺の上にも。

「乗りかかった船だ、そんな中途半端なことできるかよ！　いいから探してるのはどんな見た目のものかを言え」

「写真と書類だ。写真は人民服姿の中国共産党幹部と遠屋敷会長の会食シーン、書類は英文タイプの数枚綴り」

「早く言えって。さっきそういうのがあったぞ」

「えっ、どこどこ？」

　帳簿関係をイメージしていた俺はさっき見かけたそれらしき書類の上に、机の引き出しや棚のファイルの中身を相当量ひっくり返していた。カーペットも書類も俺達自身も、ほとんどのものが濡れているのは仕方ない。仕方がないがめくるのに余計な時間がかかるのには辟易する。

「あった！　これだな？」

　それは湿地帯のようになったカーペットの上にべっとり貼り付いていた。丹羽の前髪は次から次へと滴《しずく》を垂らす。彼は右手でそれをはね除けて力強く答えた。

「そうだ……それだよ！」

「これが不正の証拠になるのか？」

「写真の日付を見てよ。一九九四年以前だろ」

　一九九四年。俺は理解した。遠屋敷が中国首脳と取引をし始めたのは、まだ対共産圏輸出統制《COCOM》が有効だった頃なわけだ。おめでとう、丹羽。せめてもの罪滅ぼしに俺は持ちかけた。

「後で乾かすのを手伝うよ」

41

突然襲いかかってきた巨漢は初めて見る顔だったが、管理人なり主催者側の人間と考えてよさそうだった。なぜなら他チームの参加者だとすると、マーカーを手に入れたわけでもない破風崎を攻撃する理由が見当たらないからだ。

壁に叩き付けられた右肩が痛みを訴える。まだ弾の残っていた自分の拳銃を取り落としたのは不覚だった。透が膝下に隠し持っていた一丁を受け取って来られたから良かったものの、そのせいで透は丸腰だ。

いくら偽名でエントリしたとしても、建物内に山程仕掛けられた監視カメラにこう撮られまくった後では、おいそれと次の仕事に手を出せなくなるとわかっていた。だからあのダイヤを手土産にして、三人で上海へ高飛びするつもりだったが。ここから手ぶらで逃げ出せばそれも叶わなくなる。何としてもダイヤを取り戻さなければならなかったのに。

元々が穏健な一企業のイベントのこと、警備ロボットや主催者側が応戦してきたり、危険を冒してまでこちらの拳銃を奪おうとするなどとは予想もしていなかった。自分達のような武装をして挑む者など想定しているはずがない、だからこそ楽に目的を達することができると踏んでいたのに。

誤算に次ぐ誤算。簾並の裏切りからこっち、一事が万事この調子だ。自分達はいよいよ追い詰められている。

とにかく、あの荷を探し出さなければならない。《蛙》との連絡用トランシーバーは一台しか用意して来なかったから、棟安との間に連絡手段はない。展示会場からの荷が置いてある可能性の高い地下倉庫へは、ひとまず自分一人で向かうしかなかった。

破風崎は通用口から一旦外へ出て、建物外壁に沿って走った。エントランスへ回って側面のガラス越しに中の様子を窺い、人気のないところで再度侵入を試みようと考えたのだ。

受付の向こうに見えるエレベーターホールでは、さっきの大男が派手な女に抱き付かれている。あれが透のいう女だろうか。もう一人、水平二連の散弾銃を抱えたここの管理人がいる。こちらを皆殺しにせんばかりに撃ってきていたさっきまでの手強い対戦相手が、猟師のような成りをしたあんな老人だったとは。破風崎は少々意外に思う。間もなく管理人は去ったが、男女と透はまだその場を離れないでいる。

その時だった。地響きとそれに続く機械的な動作音がして、建物全体が大きく振動したのは。

揺れが地震と違うことは明らかだった。破風崎の立っている地面や後ろの林は微動だにしていない。彼はエレベーターや階段を使うのを断念し、地下倉庫へ直接繋がる荷掃き用のスロープへ向かうことにした。

再び外壁に沿って北側へ回る。建物の揺れは一旦収まった後、余計にひどくなったようだ。裏口まで戻って来た時、さっき飛び出した時には気付かなかったものが目に入る。簡素な犬小屋と、その中に見えている青い布。破風崎は犬がいないのをいいことに、犬小屋の中を覗き込む。

——まさか。

やはりそうだった。そこに敷かれている薄汚れた青い布は、あの時ダイヤを詰めるために用意した、縞模様の枕カバーに間違いなかった。しかも奥の方、袋の底の部分はかなり膨らんでいる。ならば手を伸ばし、それを摑んで逃げるだけでいい——そのはずだった——折悪しく裏口の扉が開いて、透を背負った大男が出て来るのを察知することさえなければ。

頭の向きを変えると、強い頭痛がする。脈打つのに合わせてズキズキするタイプの、宿酔いの時に御馴染みのやつだ。あれ、昨日はそんなに飲んだんだっけ？　――いや違う、そんなこたあない。

棟安は覚醒するにつれ、軽い混乱に収拾をつけつつあった。そんな彼に小言を漏らす者がいる。

「何で今頃目を覚ます。早過ぎやしないか？」

上から覗き込んで、不機嫌そうに言い捨てたのは破風崎だった。

「まるでもっと寝てりゃ良かったような言われようだな……痛てて」

立ち上がろうとしてふらつく。これまた宿酔いに似てるな――いやいや違うって、床の方が揺れてるんじゃないか！

「何だこりゃ、地震か？」

「違うようだ――立てるのか？」

いよいよ不審の色を強くする。だったら何なんだよ。

「さっき《蛙》に連絡して様子を教えさせた。この建物全体が地盤沈下を起こしているらしい。それで俺は、催眠ガスで眠らされてるお前を担いで逃げる覚悟を決めたところだったんだが。その必要はなさそうで何よりだ、行くぞ」

いいとこあるじゃねえか。だったらもうちょっと優しそうにしろよ。さっさとエレベーターの方へ向かう破風崎の後を追いながら言う。

「最初のうちはガスマスクをしてたんだ。他チームの奴らとやり合った時に、マスクを剝がされて眠っちまった。ただその場所が研究室の外だったのと、ガスの噴出から時間が立っていたせいで、量を吸わずに済んだんじゃないか」

「なるほど。お前にしちゃ筋の通った説明だな」

大きな音がして、棟安はエレベーターホールから今いた南側を振り返る。そこには到底信じられない光景があった。渡された図面では南側突き当たりを占めていた四〇五研の、ドアがなくなっていたのだ。いや、違う。天井近くの高い位置で崩れ落ちそうに口を開けているあれがそうだとしたら、ドア枠も壁も、ゆうに半階分は上方へずれているというのが正しいようだ。その証拠に床近くでは小さく切り取られた隙間から三階の吹き抜けを通して屋外の景色が見えていた、エントランス南側方向に広がる原野の一部が。

エレベーター自体は、この振動の中でも辛うじて動き続けている。

「地震の時にエレベーターはまずいんじゃなかったか?」

「地震じゃない。それに、階段室で銃撃戦の再開という事態は避けたい」

それでか。棟安は気になっていたことを口にする。

「透はどうした？　まさか――」

やられたんじゃないだろうな、と言おうとしたのだが。

「ひとまず別行動だ。救急車を呼んでもらったら、大人しく乗れと言っておいた」

「何だと。見捨てて来たっていうのか！」

やれやれ、といった様子で破風崎は表情を緩める。

「あいつも同じ事を言って嫌がったよ」

「あたりまえだ。すぐ助けに行こう」

「まあ待て、考えがある」

一階に着くと破風崎は、トランシーバーを取り出して《蛙》に繋いだ。

「どっちへ逃げるのがいい？」

「とにかく南側は危ない。北だ」

その直後。至るところで局所的な破損を繰り返しながら進行していた建物南側部分の崩壊は、ついに構造材の断裂を引き起こし、一気に壊滅的な段階へと進んだ。東側車道上のキャンピングカーから一部始終を観察していた中井はその瞬間、エントランスホールのトラスが土埃と共に盛大に座屈し、南側部分が完全に倒壊するのを目撃したのだった。

破風崎と棟安は《蛙》の忠告と自らの用心によって、崩壊にも銃撃戦にも巻き込まれず建物からの脱出を果たしたが。

「くそっ、逃げようにも周り中警備員だらけだぞ」

敷地の境界線に配備された別契約の警備員については、仮にも参加者である彼らは計画に折り込んでいた。だが建物の崩壊という非常事態に際してかその輪が狭まり、加えて研究所の警備員も多数出動して来ている。

「強行突破するか？」

逃走時のための火器を残してある車の方へ戻ろうとする棟安を、破風崎は制止する。

「それより先にあれを見ろ」

「えっ、ああっ！」

指差された先の犬小屋の前には、腹が白で背が狐色のありふれた、しかし愛嬌のある顔つきの雑種犬が、騒ぎを気にする様子もなく座り込んでいた。そして小屋の中には見覚えのある青い縞模様の枕カバー。

「——あの馬鹿犬め！」

犬は棟安の怒号に驚いたか、自分の一番大切な宝物を咥えて逃げ出した。首輪を付け、小屋まで用意されているのになぜか繋がれてはいないこの犬は、道を外れ枯草で覆われた原野を一目散に突っ走る。

「こら、それを寄越せ！」

犬を追いかけるのを棟安に任せた破風崎は、サイレンを鳴らし斜面を下りて来る救急車に注目していた。


鬼のような顔つきの大男は透を背負う前に身体検査をして、何も身につけていないことを確認していた。建物の外へ出て彼を安全な場所に降ろすと、女にいくつか指示をしてまた中へ戻る。怪我で歩けず、武器も持たない自分はどうやら一人で放置しても逃げ出す心配はないと思われたのか、女は坂道を上って東側の車道へと向かった。

暗い道端に一人残されてどのくらい経ったか、外気の冷たさが身に染みてくる頃。一台の救急車がこっちへ来るのが見えた。斜面を下る一本道には他に通る車も歩行者もいないのに、御丁寧にサイレンまで鳴らして。透は無様に捕まる覚悟を決めた。本当なら今頃は、ダイヤを取り戻し一路留萌へと車を走らせていたはずなのに。

「――怪我人は君かな？」

声と共に懐中電灯の眩しい光が向けられる。頷くと白衣の救急隊員は助手席から降りて来たもう一人と一緒に担架を広げた。彼らは手際よく透を車内へ運び込む。最初に話し掛けた男が後部扉を閉め、透の隣に着席して、運転席に合図した時だった。

「何だ君達は！」

「やめろ、怪我人の搬送中だぞ」

にわかに前方が騒がしくなって、前の二人が車から降りてしまう。透も、隣にいた男も突然の事に何が起きたのかわからず、耳を澄ますばかり。そうこうしているうちに後部扉がノックされ、開けるようにとの指示があった。

「どうしました、何が――」

中から扉を開けた救急隊員は次の瞬間、外にいた同僚二人から拳銃を突き付けられる羽目になった。

「透、無事か？」

「甚さん！」

救急隊員と思ったのは、白衣を奪って着込んだ破風崎と棟安だった。破風崎は透に付き添っていた男にも白衣を脱ぐよう命じ、透に投げて寄越す。

「横になっていなくても大丈夫だな？　これを着て席に座ってろ」

急いでその通りにしながら訊ねる。

「これからどうするの？」

棟安が愉快そうに答えた。

「この車で留萌まで行く。サイレン鳴らしてすっ飛ばすんだ」

42

「お前達、そこで何をしている！」

後は脱出するだけだった。そのはずだった。しかし部屋を出た俺と丹羽はエレベーターホールで、予想外の相手に行く手を阻まれてしまう。

「このコソ泥め」

この建物に侵入してすぐに、できる限り紳士的に拘束したはずの管理人が、狩猟用の散弾銃でこちらに狙いを定めているではないか。俺達はおずおずと両手を挙げた。

二人共濡れ鼠だから、立ち止まると足元の床に水溜りができる。

「一見まともそうに見えたお前達が、よもや五階へ入り込んでいたとはな。ここは訓練の参加者なら来る必要もない、遠屋敷の私室だ。ここで何をしていた」

なるほどこの老人は遠屋敷会長の旧友であり、五階に何があるのかを知らされた上でのプライベートな番人でもあるのだろうが。俺が総務部にいた頃、何度か電話でやり取りした限りでは、偏屈で厳格だがそれだけに常識を備えた人物だと思っていた。この過激さはどこから来るんだ？　俺は前を向いたままで、丹羽にだけ聞こえるように囁く。

「いいか、一旦従うと見せかけて両側をすり抜ける」

「ええっ、そんな大胆な」

「銃身が長い分、懐に飛び込んでしまえば咄嗟に撃たれずに済む。向こうがもう少し間合いを詰めて来たらチャンスだ。俺とタイミングを合わせ、身を低くして大きく踏み出せ」

管理人のすぐ後ろが扉の開いたエレベーターだ。上手くいけばそこへ駆け込み、狙いをつけ直される前に逃げ切れる――かも知れない。

「お前達、そのまま動くんじゃないぞ」

銃を構えたまま、じりじりと近付いて来る管理人。ようし、今だ。

俺は管理人の右脇に走り込み、腕ごと銃身を撥《は》ね上げた。これが上手い具合に発砲を誘い、号音と共に発射された弾が天井にビシビシと当たる。勢い余って年寄りを突き飛ばすことになってしまったが、この場合は勘弁してもらおう。

丹羽はどうしてる？　管理人の左側を通り抜けて俺のすぐ隣に来ている。いいぞ。

エレベーターに一歩を踏み込んだのは二人同時だった。

「早く閉めろ！」

《閉》ボタンを連打するが反応は鈍い。閉まる寸前に管理人は体勢を立て直し、またもや発砲してくる。残念なことに、今度のは外れなかった。

俺は胴体の右側に衝撃を感じて、半身を後方へ持って行かれる。ふらついた身体は奥の壁にぶつかって止まる。ようやく扉は閉まり、箱の中は死角になった。

「門脇！　おい！」

丹羽の動揺に比べて、俺は不思議と落ち着いている。そんなもんか。壁にもたれたままで慎重に言葉にした。

「……腰骨の辺りをかすめたようだ。出血はするが、歩けるし、しゃべれる」

「大丈夫か」

右手で傷を押さえると、濡れたジーンズのその部分が裂けて、温かい液体が次から次へと湧き出ているのがわかった。肩を貸そうと差し伸べられた丹羽の腕をひとまず断わる。

「今に出血がひどくなってきたら、意識があやしくなるかも知れない。その時は頼む」

撃たれた直後はそれほどでもなかった痛みが次第に増してきた。足元には水で薄められた血溜まりができつつある。我ながら壮絶な光景だと思う。

「くそっ、この期に及んで何しやがる、あの爺さん。死ぬじゃないか！」

必死で軽口を叩く俺に、丹羽の返した言葉がふるっていた。

「しっかりしろ。とかく戦争映画じゃシニカルでエキセントリックな奴から死んでいくものだから」

「あ、おい、それは俺がそうだって言ってるのか？」

こういう場合ではあるが、ちょっと聞き捨てならない感じがして質《ただ》しておく。もし本当にこれで命を落とすにしても、そりゃあんまりってもんだろ？

「いやいや、そこへいくと君は大丈夫だと言ってる。前向きで決して希望を捨てない、頼れるナイスガイだからね。主役はこれしきじゃ命を落とさないもんだって」

くそっ、真面目な口調で馬鹿にしやがって。嬉しいじゃないか。

「――あ、中井君？　今から脱出する、音声のみで誘導してくれ！」

防水仕様のトランシーバーとそれに呼びかける丹羽の声を、これほど心強く感じたことはなかった。

俺が丹羽の篤い友情に感激している間に、エレベーターは目的の階に着く。三階だった。階数ボタンを押したのは丹羽だ。

「一階を押さなかったのか？」

「以前の一階と二階は地下二階と地下一階にすっぽり納まり、今じゃ三階が新しい一階になってるからね。地上出口はおのずとこのフロアになるっていうわけ」

説明しながら腕を差し出す。今度は遠慮なく支えてもらうことにする。

「思えば図面の空白の地下二階は、上の階を収納するためのスペースだったのか」

「そういうこと」

扉が開くとそこで、俺達はまたしても予想外の相手に出くわした。筋肉の塊のような大男が、怒りの形相で立ち塞がっていたのだ。反射的に身構えるが、男は意外に丁寧な言葉で問いかけた。

「あのう、六十歳くらいの男性を見かけませんでしたか？　ここの管理人なんですが、まだ中にいるはずなんです」

俺と丹羽は顔を見合わせる。管理人の身内か？　もしや息子とか？

「ああ、見たよ。安心しろ、ピンピンしてるから」

「どこでですか？」

「最後に見たのは五階エレベーターホールだ」

「あ、五階まで行けるのはこの一台だけだから気を付けてね。そうでなければ階段か」

「ありがとうございます」

これまた凄みのあるとしか言いようのない、たぶん笑顔で礼を言う。てっきり殴りかかられると思った俺達は脱力して彼の広い背中を見送った。ほっとしてから考える。待てよ、今の大男には見憶えがあるぞ。どこで見かけたんだっけ？

43

エレベーターへ駆け込んだ侵入者達に残り少ない弾の一発を浴びせてから、草壁は階段室へ向かった。無論、追いかけるつもりだ。しかし三階まで下りたところで梁本が自分を呼ぶ声が聞こえる。じきにその姿も目にすることとなった。

「お前さんか。梓は？」

「避難させました。もう建物の外で、警備員と一緒でしょう」

何と、あれだけ警備員を呼ぶなと言ったのに。娘を避難させてくれたのはいいが、悪びれもしない態度に少々腹が立たないでもない。

「お義父さんは大丈夫ですか」

「馬鹿者、誰がお義父さんだ。そこをどいてくれ」

梁本という大男は立ち塞がったままで、草壁の一蹴した言葉を何やら噛み締めているようだったが。意を決したように口を開いた。

「僕がお嬢さんと結婚することを――こんな時に何ですが――お許し頂けませんか？」

「許すも許さんもない。あんな馬鹿者、勘当するから好きにしろ」

見るからに不敵な面構えが、ぱっと輝いたようだった。単純な男だ。もっともその方がいい。

「いいからそこをどけ」

「どきません。一緒に避難して頂きます」

梁本は今度は頑として引かなかった。大きい図体で階段の幅一杯を文字通り塞いでしまい、どこにもすり抜ける余地などはない。

「貴様、こうしているうちにも侵入者を取り逃がしてしまうじゃないか！」

「もうこの期に及んで侵入者も何もありませんよ。全員避難が最優先です。言うことを聞かないなら、担ぎ上げてでも連れて行きます」

「何だと――」

草壁は随分高い位置にある相手の顔を睨み付けたが、ともすると口の端が緩みそうになるのを我慢しなければならなかった。内心ではもうすでに、この男の言うことを聞いてやってもいいような気持ちになり始めていたのだ。

44

丹羽の助けを借りて三階の外部非常階段に出た途端、冷たく強い夜風を感じた。全身濡れて出血中の身には厳しいことこの上ない。土手の上のスタッフ車の群れはたくさんのライトが繋がった光点として見える。番犬はいつの間にか一匹もいなくなっていた。元は三階の高さだった非常階段と地面との差はまだ約一メートル余りある。

「君にはこの落差を飛び下りるのはきつそうだね。ここまで来れば危険はないから、もう少し沈むまで待とうか」

「そうもいかないだろ。あれを見ろ――」

どうにか外へ出たものの、ほっとする間もなく俺達にはまだ関門が待ち受けていた。建物本体の沈下に合わせてか、周囲を取り囲んだスチール製の柵の、正面ゲートが徐々に閉じ始めていたのだ。

「うわっ、ゲートまでがやたらに遠いじゃないか！」

「ここからざっと五百メートルってとこかな」

「急ごう」

傷の痛みに悲鳴を上げながら、どうにか手摺を乗り越え地面に下りることができた。車までをよたよたと歩く間にも寒さが骨身に染みてくる。手足がまともに動かない。たぶん気温は零度未満だろう、濡れた服が比喩でなく凍りそうだ。それとも多量の出血がもたらす体温の低下ってやつか？　どうでもいい。俺はもうそういうこともあまり気にならなくなっていた。

「おい、楽しいよな」

俺が薄く笑っているのを見て、丹羽はぎょっとしたようだ。

「何言ってるんだ……」

「今俺は最高にハッピーな気分なんだよ」

この高揚した気持ちは負傷した際に分泌されるという脳内麻薬のせいなのか？　だが理屈で考えても俺には今嬉しい事がいくらでもある。一攫千金の夢があと少しで叶い、そうなれば自由を買うことができる。親友と思っていた男に隠し事すべてを打ち明け、それで決別を言い渡されたと思いきや、またこうして隣で肩を貸して歩いてくれる。吹き付ける風は強く冷たく乾いている。畜生、俺は幸せだぞ。たとえこのまま死んでも本望だ。

「いいから笑えよ、丹羽。楽しもうってことだ、今この時を」

もしかして俺に呆れてるか？

「賛成だけどさ」

「けど、何だ」

「凍えて歯の根が合ってないよ」

「お互い様だって」

それでようやくさっきまでの悲壮な面持ちに、いつもの悪戯者の表情が戻って来た。

「君がそういうことを言うのは珍しいね。さあ、乗って」

俺がほとんど倒れ込むように助手席に納まった時には、前方のゲートはもう後わずかの隙間を残すのみだった。

「突破する。傷に響くと思うから、遠慮なく泣きわめいていいよ」

優しいことで。

「真ん中付近を狙うんだぞ」

ゲートの扉はレール上を両側から接近して中央で合わさるタイプだ。両側は地面に固定された柵と重なっていて、その分堅牢になっているだろうから。

「わかってる。あ、エアバッグに気をつけて」

何だと、衝撃の加減によってはこの上顔面をしたたかに強打されるわけか。俺はげんなりして覚悟を決め、丹羽は車をスタートさせる。

五百メートルの距離はあっという間だった。青いキャデラックは相応の衝撃と共にゲート扉中央に激突する。痛ってぇ！

ゲート扉の片方がレールから外れ——エアバッグは作動せず——車体が斜めに食い込む形で停止した。これはあまりよろしくない結果かも知れない。しかし丹羽は怯まない。

「そのままで。もう一回試す」

言うが早いか電光石火のギアチェンジで猛烈にバックし、丹羽は再度、今度は外れた方の扉目がけて突き進む。さっきよりいくらかましな衝撃と共に、さっきより格段に望ましい結果が得られた。車一台が通れる位の隙間をこじ開けることができたのだ。

「やるねえ」

そこを通り抜けると丹羽は俄然アクセルを踏み込み、ゴールである敷地の境界線を目指して坂道を駆け上る。車道上の明かりが次第に近付いて来る。

「拍手はまだかな?――あっ、しなくていい、いい!」

彼は慌てて取り消したが俺は真っ赤に染まった右手を傷から離し、その素振りだけはして見せた。まったくお前が相棒で良かったよ。

「いいぞ! これで今日の一位は決まりだ」

認めよう、俺は確かに今ものすごくハイになってる。命がけで奇跡のように手中に収めた勝利の印。後ろには追手、傍らには良き友、脳内にはドーパミン。これがはしゃがずにいられるかってんだ。

「水を差すようで悪いけどさ。確かにマーカーを手に入れたのは僕らが最初だったよね。でも他のチームだって、僕らが管理人と対決してる間に取りに行ってたかも知れないじゃないか」

「そう思うか?」

俺は愉快でたまらない。こいつは知らないでいるのだ。おもむろに鞄の中から取り出したマーカーを、運転中の丹羽の視界にかざしてやった。

「ええっ、嘘でしょ?」

それは全部で三個あった。俺がすでにガスの充満した四〇五研で自分達用のマーカーを入手した際、まだそこに他の二個が残されているのを見て、どの途催眠ガスはもうすでに噴出していたことだし、それならと全部を持ち返ったのだ。というわけでここから先は無事ゴールインさえすれば、今日の一位は俺達に決定する。そう思っていたら丹羽はこんなことを持ち出す。

「スタッフの子に聞いたんだけど、前三回九チームの成績はどうも芳しくなかったようなんだよね。ことによると、僕らが大差で優勝かも」

くそっ、それを早く言え。

かくなる上は前へ進むだけだ。急げ丹羽、人生は短い。お前と違ってこの俺には、帰りを待つ者とてないのが寂しいが、そんなものこれから作ればいいのだ。見るみるうちに近付いて来る坂の上のゴール、サーチライト、歓声を上げて迎えるスタッフ、そこへ走り込む前面のひしゃげたキャデラック——。

タイムレコードは二時間四十二分三十七秒。こうして勝利は俺達のものになった。

45

外が陽気に騒がしい。他チームのどっちかがゴールインでもしたのか。救急車の運転席と後部を隔てる小窓越しに、透は前の二人に話しかける。

「それで、ダイヤは見つかった？」

運転席の楝安が上機嫌で答える。

「おうよ。しかしな、くそっ、バラ撒かれて半分くらいになっちまってるけどな」

「あれだけ走り回ったんじゃ、無理もない」

破風崎はいつもの通り淡々としている。

楝安の説明によれば、管理人の飼い犬が展示会の荷から何かの機会に袋ごと引っ張り出し、犬小屋へ運んでいたらしい。楝安が奪い返した時に袋の底に残っていたのはおよそ半分、残りは犬が荷から引っ張り出したり楝安に追い回されたりしているうちに、こぼれて辺りに散らばったと思われた。

「まあでも、俺達みんなを金持ちにして釣りが来ることには変わりないさ」

あくまで楝安は楽天的だ。サイレンの音も高らかに、坂道を上り始めた時だった。

ひとり道を辿って下りて来る人影に行き合う。

「あ、ちょっと待った」

「楝安、やめとけ」

運転席の二人には相手が見えているようだった。

「おーい、そこの彼女！」

棟安は運転席の窓を開ける。この時透にも相手の姿が見えた。自分の怪我のきっかけにもなり、救急車を呼んでくれもした、あの派手な女だ。

「よお、やっと会えたなミス・ダイヤモンド。あんたにはこれをやろう」

破風崎が止める隙もあらばこそ、棟安は手頃な大きさのパウチを一つ投げてやる。

これには透も驚いた。何でそんなことを！

「どうだ、あんた――」

棟安は運転席の窓に肘をかけて顔を出す。受け止めた手の中の物を見ると、女の表情は驚きと怒りの入り混じった何とも言えないものになった。

「ダメもとで訊いてみるが、あんたさえ良かったら、このまま俺達と来る気はないか？」

女は複雑な表情のままで固まっている。まあ当然だ。普通この状況でナンパなんかするか？

「――残念だ。それじゃな。もっと早く会いたかったよ」

こうなると棟安の態度は明るくあっさりしたもので、すぐに窓を閉めてスピードを上げにかかった。

「棟安」

「へいへい」

苦り切った顔の破風崎にも、一向に怯む様子はない。

「このまま目的地まで、もう絶対に止まるんじゃないぞ。脇目もふらず走り通せ。わかったか」

透も深く頷く。そうだよ、そもそも救急車ってのはそういうもんじゃないか。

46

いち早く到着した救急車はわずかに通報が先んじた他チームの怪我人の対応に当たり、俺は新たに手配される別の一台を、毛布にくるまって待たなければならなかった。そいつがまたなかなかやって来ない。

危機的状況から辛うじて脱出し、過酷な競技に勝利を収めた俺は、寒さに凍え、出血に朦朧《もうろう》としながら、傷だらけのキャデラックSRXのタイヤにもたれてしゃがみ込み、さっきまでいた建物をぼんやりと眺めている。そういえば腹も減った。今や食べかけのチョコレートケーキのように低く不規則になってしまったその輪郭線を、隣にいる丹羽はまた違った眼差しで見つめている。懐かしそうに、名残惜しそうに。

「おい、感傷的になってるのか？」

わざわざ言葉に出して言ってやったのは、そうじゃないという返事を期待してのことだった。彼はそんな感傷など追い払い、持ち帰った材料を手に、これから遠屋敷一眞と対決しなければならないのだから。

「そんなんじゃないよ」

思った通りの返答に内心笑いを嚙み殺したが、その意趣返しのように驚かされてしまう。丹羽は俺とお揃いの毛布を引きずって立ち上がると、凹んだ愛車によたよたと近寄って、その中からおもむろに緑色の小瓶を取り出したのだ。ハーフサイズのモエ・エ・シャンドンだ。

「へへ、Ｆ１みたいでいいだろ」

「お前はまたそんなものをどこに隠してやがったんだ」

丹羽はそれには答えず物騒な前置きをする。

「外気温で程良く冷えてはいるんだけどね。何しろ揺れたからな。門脇、避けてろよ」

抜いたコルクは放物線を描いて遠くへ飛んだ。泡の吹きこぼれる瓶のまま俺に向けたかと思うとすぐに引っ込める。

「あ、出血がひどくなっちゃうかな」

今さら何をか言わんや、だ。

「いいさ、二人一緒にぶっ倒れて救急車で運ばれようぜ」

奪い取って一口頂く。

「それってどういう意味？」

「お前こそ一滴も飲めないくせに、カッコつけるんじゃないってこと」

「言うねえ」

俺が返した瓶を受け取って丹羽も一口だけ呷った。そうして再び遠くを見渡した時、何かに気付いたようだ。

「ねえ、あれ何かな？」

「どれ？」

「あの辺一帯で光ってるもの」

丹羽は俺の隣に来て顔を寄せた。同じ視点から彼の指差す方を眺めると、サーチライトや投光器に照らされて、地面の上で無数の点が輝いている。

「何だろう。車道の支線とは離れてる。事故でフロントガラスが散らばったとは考え難いな」

「実験用の強化ガラスとか?」

「さあな。建材系の研究所は別に幕張にあって、ここで扱っているのは電子機器中心だから、そういうのでもなさそうなんだが」

はっとして俺を振り向く者があった。俺達に遅れること十数分、ちょうど今しがた斜面を上り切って隣にやって来ていた管理人の草壁である。俺の言葉に思うところがあったのか、おずおずと話しかけてくる。

「あんたはもしかして……社内の人間か?」

それから俺を包む毛布に滲んだ血の染みを見下ろして、心底申し訳なさそうな顔をした。今さらそんな顔しても遅い。たいした危害を加える意思を見せなかった俺達に対して発砲したのだから、これは立派な傷害だぞ。俺は——実に難しかったが——怒りと痛みを痩せ我慢し、できるだけ何食わぬ顔で言った。

「元本社総務部主任の門脇です。在職中は色々とお世話になりましたが、この度一身上の都合で——」

退職しました、と言おうと思ったのに。

「頼む。あれを回収してくれ」

「あれって?」

死にかけている男に何を頼もうというのだ。

「春先に展示会場から送り返されて来た荷物にたくさん入っていた、ガラス玉みたいな粒だ。重要なものじゃないのか？」

管理人の後ろに立っていた女が、ピクリと身体を震わせた。

「うちの犬はそれが入っていた布袋が大のお気に入りでな。何度隠し場所を替えても、すぐに引っ張り出して中身をバラ撒いてしまうんだ」

草壁の指差す方を見ると、一匹の犬が地下倉庫入口のすぐ傍にある犬小屋の近くに佇んでいた。光る物が落ちているのはその辺りだ。

「――春先というと、国際展示場のビジネスロボットＥＸＰＯですか？」

「そうだ。確か予定より早く送り返されて来たんで、本社総務に確認の電話を入れた」

ということならば憶えている、その電話に対応したのはこの俺だろう。

「いやいや、あの展示会の荷には、そういった物は含まれていませんでしたよ。私は会場設営時の搬入検品に立ち会って、機器類を中身まで確認しましたから」

「すると、あれは……？」

俺は律儀な管理人を、少なくともそのことに関しては安心させてやろうと思った。

「会場側の人間が、何か規定外の私物を同梱したんじゃないですか。だったら貴方が気に病まれることはないでしょう」

老人はほっとしたような顔をして曖昧に頷いた。と、傍にいた女が勢い込んで何事か話しかける。俺はその女の顔を見て、思わず丹羽を肘でつついた。それは九月にここを訪れた帰り、旭川空港で見かけたあの派手な女に他ならなかったからだ。ほつれかけた髪や埃まみれのミリタリージャケット姿であっても、彼女の華やかさは充分に保たれていた。

「あれれ、彼女も参加してたの？」

「というか、管理人と一緒の所を見ると関係者サイドだろうよ」

しかも何のことはない、後ろにはさっき出くわした筋肉大男も控えている。それで思い出した、奴もあの時空港で、ボディガードよろしく彼女に寄り添っていた男だな。やがて三人は連れ立って斜面を下って行った。つまりあの男が回収作業を引き受けたということか。それがいい、そういうことは力の余っている奴にやらせておけ。俺に言うな。

いよいよ寒くなってきたので、車内へ入らせてもらおうかとも思う。と、スタートの時にはいなかった銀色のベンツが音もなく近付いて来て、開いたドアから鴨居が車道に降り立つ。後部座席には框の姿も見えた。どうしてなんだ。どうして救急車が来ないのにこいつらが――いい加減切実に救助の必要を感じていた俺は腹立たしくてならない。

「おめでとう。無事マーカーを持って帰還されたのはあなた方のチームだけでしたよ。いやあ、よかった」

嬉しそうな鴨居に、車の中から弁護士がぼやく。

「これで君に二十二勝二十五敗だ」

どうでもいいが、寒くてたまらない。

「すごいなあ、他の日程のチームも含めてですか？」

丹羽が必要以上に愛想良く受け答えしている。この酔っ払いめ。

「後で正式に発表されますが、実はこれまでに行われたすべての日程においてすべてのチームが、棄権または失格で終了したんです」

「そこまでひどかったんですか。今回の他チームはどうでした？」

新聞記者は急に難しい顔になった。

「それが――一チームは全員帰還が確認されたんですが、もう一チームの代表者とは連絡すら取れないのです。無事ならいいが」

「心配ですね。中はかなり混乱していましたからね」

「しかし全館放送で警報が聞こえたでしょう？　建物沈下に伴い南側が崩壊するので、安全な建物北側部分へ避難するようにと」

「警報？　いいえ」

「そんなはずは……」

焦りを隠せない鴨居に、丹羽は淡々と続ける。

「僕達は外部と連絡をとって、辛うじて状況を知ることができました。他チームの人達にはまったくわからなかったのでは？　救出を急がないと危険です」

あ、こっちも危険かも。

丹羽と鴨居のやり取りを聞きながら、そこで目の前が暗くなったことまでは憶えている。寒さと疲労と多量の出血により、俺はついにその場にぶっ倒れたのだった。

47

最初に見舞いに来たのは佐倉田だった。債務者の監視係を兼ねているとはいえ、半分は俺の後見人みたいなものだったのだから、まあ当然と言えば当然なのだが。

「よく御無事でいてくださいました」

涙ぐまんばかりに心配してくれたのは、ありがたくも気恥ずかしくもあった。俺は高校の体育の授業で鎖骨を折った時のことを思い出す。あの時もこの男は大慌てで駆けつけ、教師や級友の手前こっちが恥ずかしくなる程世話を焼いたものだ。

「貴方には迷惑なことかも知れませんがね。もう随分前から私は、他人のようには思えなくて」

この歳まで独身の佐倉田はその言葉通り、仕事としてだけでなく俺の身の上と行く末を案じてくれていたのかも知れない。

「これをどうぞ」

それでも差し出された封筒の中身は、俺にとってどうしても手に入れたかったものに違いなかった。二階堂に対する俺の債務が全額解消したことを告げる文書である。

「社長は貴方に高額の報酬を提示し、できることなら再契約を結んでくれるようにとおっしゃっていましたよ」

「――すみません。残念ながらそのつもりはありません」

秘書は寂しそうに微笑んで、少しだけ得意気に付け加える。

「そう言うだろうと思っていました。社長にも申し上げたんですがね」

俺は笑って言った。

「断わると、抹殺されることになりますか？」

「まさか。そんな野蛮な」

佐倉田は慌ててかぶりを振る。

「だけど、俺はこれまでの業務を通じてあんた方が知られたくないことを色々と知ってしまったんですよ。仕方がないから文書化して、しかるべき所に預けてあるけれど」

「当然の措置でしょう。であればこそ、相互にバランスの取れた牽制が行えるというものですからね。さすがは社長が見込み、私がお世話した方です」

違法行為につきものの自衛策や、ビジネス上の営利判断とはまったく別に、それでも人間は心を通じ合えるという好例だった。二階堂や佐倉田と俺との間にあったのはそのような冷やかな関係だったにもかかわらず、今の心情はと言えば不思議なことに、懐かしさの方がずっと強い。

「それと、貴方の負傷についてはすでにセキュア・ミレニアムとその管理人側に非があったことが明らかになっています。参加者の中にいた、宝石盗難事件の容疑者グループが管理人に危害を加えたため過剰防衛に至ったとのことですが、貴方に関してはまったくの誤認なわけですからね。民事でも訴訟を起こすのなら専門家を御紹介しますよ」

「いや、それには及びません。泥棒は捕まったんですか？」

トライアルと宝石盗難事件との関連については、俺もその後の新聞やテレビで断片的に知っている。彼らが救急隊員を脅し救急車を奪って逃走したことも、丹羽や管理人と一緒に遠くから眺めた光る点が実は、盗まれたダイヤモンドの一部だったということも。現地の草むらを覗き込む捜索員や、港に乗り捨てられた救急車のお決まりの映像は、ニュースやワイドショーで繰り返し流れていた。

「三人ともおそらくは海外へ逃げて、捕まってはいないようです」

思うに俺と丹羽が取っ組み合いの末ガスマスクを剝ぎ取ってやった、あの背の高い男が宝石泥棒の一員だったのだろう。俺と丹羽の人生を賭けた競技の裏で、彼らは彼らで警備ロボットや管理人と死闘を繰り広げていたのだ。そう思うと泥棒達にも管理人にも、何やら奇妙な共感を覚える。

かくしてこの身は自由になった。俺は今、人生のほんの鳥羽口に立ったばかりだ。今までできなかったことを、これから全部始めてやろう。世界のあちこちへ出掛けて、好きな土地に住み、打ち込める新しい仕事を見つけて、女に惚れ、子供を作って、笑ったり心配したりはらはらしたりして長い時間を過ごそう。喜びも、哀しみも、気苦労も、丸ごと全部味わい尽くしてやるのだ。

次に訪ねて来たのは丹羽だった。俺は顔を見るなり彼に宣言する。

「約束は守る」

それなのに返ってきたのは間抜けな声だ。

「はァ？　何のこと」

「おかげで借金は解消した。退院したらとっとと行方をくらますつもりだ」

丹羽は慌てて言った。

「いやいやいいんだ、そのことならもう必要ない。だから消えたりなんかするなよ。絶対にだ」

「どういうことだよ」

彼は満面に嬉しそうな笑みを浮かべた。

「こちらから切り出すまでもなく、向こうから申し出て来た。今に至り遠屋敷がようやく僕の養育能力を認めて、娘を引き渡すって」

「そうなのか？」

「うん。どう思う、これって僕らがあの書類を入手した成果なのかな?」

「そうかもな。迂闊に喜んでばかりいるとお前、消されるんじゃないのか」

脅かしてやったつもりだが、ちっともこたえた様子はない。

「その点は大丈夫。複数のコピーを信頼できる人物に預け、僕がどうにかなったら公表してくれるように頼んでおくから」

「ならいいが」

誰しも似たようなことを考えている。二階堂側に対して俺が取ったのと同じ、当然の措置だ。

「というわけで、お願いするよ」

「へ、俺?」

思わずこっちまで間抜けな声を出してしまう。

「そう、門脇。君もコピーの一通を保管しておいてくれ。頼むよ」

この友人がこれからも信頼を寄せ続けてくれることに感謝し、胸を熱くして俺は承諾した。そして書類と媒体を受け取りながら思いついたことを言わずにおれなかった。

「あのな、丹羽。もしもお前が将来親父さんのように、ビジネスで華々しい成功を収めたらの話だ——」

「僕が？　やめてよ」

「まあ聞け。この書類や、綾乃さんとの思い出の品々や、その他表沙汰にしにくい諸々の記録や何かを、人里離れた土地にこっそりしまい込んで、番犬やロボットに守らせるといい。で、仕上げに偏屈な管理人を置くと」

丹羽は俺の言わんとするところを察してニヤリとした。

「推薦したい人間がいるって？」

「そういうことだ。安くしとくぞ」

今となってはあの老人が、あれだけ必死に研究所の五階を守ろうとした気持ちもわかるような気がした。丹羽が託したものなら俺だって、何としてでも守ってやりたい。

「娘さんはもう引き取ったのか？」

「いや、まだだ。学校が春休みになるのを待ってるところ」

「なら、どうしてそんなに嬉しそうなんだよ」

彼の頬は緩み切っていた。

「実は今日もこれから会う約束をしてるからさ」

「どこで？」

「ここで」

丹羽は今後の養育権と共に、当面は娘と自由に会う許しを得たらしい。成長した彼女自身が望んだことに加え、義理の父母が応援に回ってくれたのだという。そうなるとあの研究所五階でのドタバタに意味があったのかどうかなんて、いよいよ微妙になってきたわけだが。

しかし遠屋敷一眞の意外な一面を目にしたということも手伝ってか、この幸せな父親はそんなことは気にしていないようだった。いずれにせよ、丹羽が子供と暮らせるようになり、今まで囚われ続けてきた固執からいくらかでも解放されるのならそれでいいと思う。

「あ、こっちだよ。入っておいで」

丹羽が戸口の方へ呼びかけた。ここからは見えないが、彼女が看護師に手を取られて病室のすぐ外まで来ている気配に俺は緊張した。

「おい、起こしてくれ」

「大丈夫なのか？」

「客が女性の時に限ってはな」

扉の蔭から静かに出て来たのは、小学校高学年にしては子供っぽい印象の女の子だった。

「茅乃、お父さんの友達の門脇さんだ。御挨拶しようか」

「……こんにちは」

か細い声で一言だけ発すると、彼女はそのまま父親の手の親指を握り込んで俯《うつむ》いてしまう。感受性が強く素直そうで、俺などが不用意に話しかけるとそれだけで傷つけてしまいそうな気がした。

「こんにちは」

「どうにも内気なんだよね」

「お前みたいに図々しいより余程いいさ」

彼女は小さくて痩せていた。似合わない眼鏡をかけて、Tシャツとデニムのスカートの下にはスパッツなんて穿いている。変わったデザインのスニーカーと歯列矯正のブリッジは、貧しくない家できちんと育てられている子供なのだということを示していたが、彼女の魅力を引き立てるものではあり得ない。全体としておよそ資産家の令嬢のイメージとは程遠く、ちっともエレガントじゃなかった。まあ少なくとも今のところはだ。

しかし俺は――こうした俗な観察を続けながら――猛烈に丹羽のことを羨ましがっていることに気が付いていた。丹羽は、同い歳のこの幸せ者は、自分を頼ってくれて、自分が守ってやらねばならない、小さく弱々しい存在をすでに得たのだ。

彼はこの子のためにならら残りの人生を喜んで投げ出すだろう。それ程までに大切なものが、俺にはあるか？　彼は見守る親と送り出す子を結ぶ中間にいて、太古から続く縦の流れを保っている。そのような担うべき繋がりが、俺にはあるか？

彼我の差を思い知らされ、うっかり涙ぐんでしまっていた。頼むから気付かないふりをしていてくれ。丹羽と自分との最も大きな差は、育ってきた境遇にあるのではない。今この時において、守るべき宝を持ち得ているかどうかにあるのだ。悲しいかなそれこそが、俺の、これまで生きてきた他人の人生に欠けていたものなのだった。ならばこれからは？　晴れて自分のものとなった人生を手に、俺はこれからどうすればいい？

傍らの黄色いノートを俺は切ない想いで眺める。このノートは俺の若気の至りだ。丹羽が手に入れたあの子と、何と差をつけられたものだろうか。

49

病院のベッドで年を越し、東京が十月末の旭川よりよほど暖かくなってきた頃。

二月末のよく晴れた午後に、俺はめでたく退院の運びとなった。携帯電話にはこれと思った看護師のメルアドをふたつみっつ控え、リハビリの甲斐あって足取りも軽く、玄関前の車寄せへ歩み出る。もうすっかり日常生活に支障はなくなっていたが、走ったり跳んだりの激しい運動は今後の回復を待たねばならない。

それだからワンブロック行くか行かないうちに、後方から滑るように近寄って来る乗用車に気付いた時は、一体どうしようかと肝を冷やした。俺の所持品の中には佐倉田から渡された書類や丹羽から預かったコピーがある。こいつを貸金庫に納めてしまうまでは、本当の意味で身軽にはなれないのだ。

音もなく追い抜かれる時の緊張たるや。だが前方へ抜けた車をはっきり見た途端、俺は盛大に拍子抜けする。またか。何のことはない、框弁護士と鴨居記者のベンツではないか。後部座席のウィンドウが下りて、鴨居が気安く呼びかけた。

「門脇さん、お乗りになりませんか」

全然気が進まない。

「いや結構。天気もいいので歩いて行きますよ」

すると車は俺の歩く速度に合わせて併走し始めた。何の用だ、と訝っていたら弁護士が書類を取り出して読み上げる。

「御報告しておきますが、建物の沈下時に警報が鳴動しなかった件については継続して調査中です。本来ならシェルター起動時に自動的に鳴動し、北側への退避を促すはずなのですが、そうならなかったことについて、参加者であったワタナベ製作所社員が疑問を提示しておりまして」

この釈明を聞いて俺は彼らの言いたいことに察しがついた。と同時にうんざりした。動作に不具合が出たものだから、訴訟対策に大わらわなのだ。御苦労なことである。

「ふうん。他の日程でも鳴らなかったんですかね？」

「全四日間のうち、シェルター発動にまで至ったのは、唯一あなた方の最終日だけなのですよ」

なるほどね。代わって新聞記者が口を開く。

「それで門脇さん。もしよろしければ、なんですがね。無事帰還された参加者として、証言をお願いできないでしょうかね？　その、つまり、小音量ではあるが警報が鳴っていた可能性について」

「鳴っていませんでしたよ」

「聞こえなかっただけでは？」

冗談じゃない。

「お断わりします。もう失礼しますよ」

俺は通り沿いにある手近な銀行を目で探した。それなのに連中は行く手を塞ぐように車を寄せて来やがるではないか。もう我慢がならない。

「どうか御再考を」

「断わる。それはそうとあんた達、どうせ競技の結果を賭けのネタにしていただろう？」

二人は顔を見合わせた。どうやら図星だ。

「俺達に賭けた者はいるか？　いたら、別のある事を示唆しよう」

「――いや、決してそんなことは。我々は誰か特定のチームの勝敗に賭けたりはしていない」

「あの建物の、最終形態が発動するかどうかに賭けていた」

二人は口々に弁解した。そうかいそうかい。まったく不愉快極まりない。どうせなら一度くらい見舞いに来て、俺がお気に入りの看護師を落とせるかどうかにでも賭けろってんだ。教えてやる義理はまったくなかったが、面倒になったので言っておく。

「侵入を果たした後、管理人室に通信回線を切断しに行った。そこで俺達が切ったのは電話線とパソコンの通信ケーブルだけ。余計なコードには一切手を触れなかった。だが他のチームはどうかな。それぞれ確認してみるといい」

「なるほど。参考になりましたよ」

弁護士のその返事を、俺はもう振り返ることなく背中で受けた。

最寄りの外資系銀行で貸金庫を契約し、気掛かりな物を洗いざらい納めて、身軽になって出て来た俺の目には、またしても見憶えのある車影が映る。だが今度は警戒も幻滅もさせられることなく、自然に口元が綻《ほころ》んだ。でも——あまりにもぴかぴかだったので——奴のキャデラックだとは思い難い。車種も色も同じ、これであちこち凹んでいれば間違いないんだが。運転席に目を凝らすと、車以上に見憶えのある相棒が顔を出した。

「乗ってかない？」

丹羽はカラーレンズの眼鏡越しに屈託なく笑いかける。

「何だよ、やっぱりお前か。車、直したのか？」

「買い直した」

「そりゃあ太っ腹だ」

乗せてもらおうとして俺は、助手席が塞がっていることに気付いた。そこには何と佐倉田が座っていたのだ。

「おいおい、珍しい組み合わせだな」

二人は初対面でこそないが、学生時代の俺を介してわずかに見知っただけのはずだ。仕方なく広い後部座席に一人で陣取り、ありそうなシチュエーションを想像する。二人がそれぞれ俺を迎えに来てくれた病院で、偶然出会ったというところかな。しかしどちらの口からもそのような説明は聞かれず、代わりに佐倉田は思い掛けないことを言い出す。

「実は貴方が再契約してくださらなかったので、丹羽さんに新しいビジネスの提案をしました」

「これがいい話なんだよ」

二人は代わるがわる、荒唐無稽な計画を説明し始める。

「アラブ首長国連邦はドバイの人工島に、極秘で建造中の施設があります。表向きは弊社社長の私有の別荘ということになっていますが――」

「ところがその実態はシステムトライアンフ金融保険事業部門のショールーム。主要顧客層がリゾートやプライベートバンクへ行く、そのついでに足を運びやすい街に造ったというわけですよね、佐倉田さん」

「ええ、そうです。弊社はそのショールームに最重要顧客をお呼びし、大々的な侵入実験を行いたいと考えます」

「この侵入実験のすごいところはね。どこかの企業みたいに最強の盾を売ろうとしてその堅さを証明する方向性ではなく、どんな盾も完全ではあり得ないと証明する方向性で行う点にある」

「つまり弊社のスタンスは、いつぞやの新年会での社長の言葉にもありますように、何事につけ保護に重きを置くものではありません。徒《いたずら》に技術的なセキュリティ強化に走ることなくそこから目を転じ、自由なビジネスを制限することなく安心感を生み出す、金融保険分野に注力していきたいと考えているのです。ショールームには世界各社の最新セキュリティ技術を網羅してあり、加えて顧客指定による任意の警備システムを構築して頂きます——」

「そうやって客に納得のゆくまで守りを固めさせた上で、トライアンフ側の精鋭部隊がアタックし片っ端から侵入に成功することで、そんなものは用を成さないことを証明してゆくわけ」

「このデモンストレーションを見て、万全のセキュリティなどあり得ない、最新型警備システムなど無意味だと納得して頂いたお客様に、弊社がお勧めする保険商品を御契約頂こうというわけです」

俺は計画のスケールと極端さに半ば呆れ、半ば感心して大人しく聞いていたが。

「あー、俺もしゃべっていいか?」

二人は同時に頷く。

「それはつまり、その侵入する係を俺にやれと言ってるわけなんだな?」

また同時に頷く。おいおい。

「確かにあのトライアルでは勝利を収めることができた。それは俺達のチームに資金と情報とノウハウの、どれにおいても少なくないアドバンテージがあってこそだ。だが今度の話となるとまた別だ。今言ったどれも持ち合わせがない」

「当然ながら、資金と情報はこちらで御用意します。ノウハウは確かに貴方次第ですが」

佐倉田はそう言ったきり口をつぐむ。穏やかで優し気なこの男はしかし、決して気が小さくてしゃべらないわけではない。押したり引いたりの交渉のテクニックは心得ていた。

「……どうして俺なわけ?」

「私も社長も、貴方の黄色いノートを見せてもらいましたからね」

ノートだと? それなら研究所内で返してもらって、入院中はずっと手元に置き、さっき貸金庫に入れたばかりなのに。どういうことなんだ。バックミラーの中の丹羽を睨むとすぐに白状した。

「ごめん……コピーを取らせてもらってた」

頼み事をする時の常で、丹羽は遠慮がちに、ことさらに真面目な顔をしている。駄目ならすぐに引き下がるという雰囲気を言外に滲ませて。わかってる、こいつはやりたいのだ。

車はいつの間にか陽の当たる大通りへ滑り出ていた。ルーフ越しに見上げれば、街路樹は新しい芽を吹き、晴れた空には一筋の飛行機雲が伸びている。

俺はこれ見よがしに溜息をついた。

「――仕方ないな」

「それじゃ……決まり？」

俺が断わらなさそうだと知って、すぐに表情を明るくした。くそっ、現金すぎるぞ。

「ああ、決まりだ」

佐倉田が携帯電話を取り出してかけ始めた。あれが二階堂への直通専用だということを俺は知っている。

「そこでだ丹羽。俺はまずお前をスカウトするが、受けるか？」

彼は満面の笑みを湛えて言った。

「受けるとも。メンバーは君と、僕と、それから？」

「他はまだ決めてない。お前が最初だ。そうだな、何なら軽く現地へ見学に行ってみないか？」

「ええええっ！　軽くって、現地って、中東じゃないか……」

「そうだ」

電話を終えた佐倉田も俺に調子を合わせた。

「社長もお喜びですよ。航空券ならすぐに手配しますし、何なら専用機をお使い頂けるかも知れません」

「ホントに行くの？」

「そうとも。砂漠と椰子と運河と人工島の国へ」

俺は実にいい気分で、やがてこの目に映るだろう異国の風景を思い浮かべた。熱き白砂の浜と遠浅の海の向こう、蜃気楼に揺れる人工の島々はきっと、砂糖菓子みたいにこの上なくスイートな眺めに違いない。

〈解説〉上品なる軽快さが真骨頂

香山二三郎（コラムニスト）

本書『ブレイクスルー・トライアル』は二〇〇七年度の第五回『このミステリーがすごい!』大賞を受賞した伊園旬のデビュー長篇《へん》である。

同賞はすでに浅倉卓弥や海堂尊といったベストセラー作家を生み出している。選考委員のひとりとしては、ミステリー作家の登竜門として知られる老舗・江戸川乱歩賞に優るとも劣らないハイレベルの新人賞だと確信しているが、第五回の選考も大激戦となった。最終候補には伊園の『トライアル&エラー』（応募時タイトル）ほか、何と六篇が残ったのである。本格謎《なぞ》解きものからファンタジー、選挙サスペンス、動物ホラー、災害パニックものにサッカー活劇まで、作風も色とりどり。内容的にはどれも一長一短あったものの、そこから伊園作品が一歩抜け出したのは、「金庫破りサスペンス現代版としてはなるほどよく出来た設定」（大森望）とか「軽快な活劇演出」（香山）といった長所のみならず、何より「原石としての魅力」（茶木則雄）を感じさせられたからにほかなるまい。

伊園は前年の第四回にも『週末のセッション』という作品で最終候補に残っている。これは軽タッチのコンゲームもので、まとまりはいいけれどもこじんまりとした印象。筆者の選評も、次回は「先の読めないサスペンス演出」や「全体にヒネりをつけた大仕掛け」に期待したい、というもので、それに見事に応えてくれたことも『ブレイクスルー・トライアル』を評価する要因となった。第五回の選考においては厳しい意見も出されたが、受賞後のブラッシュアップで中身はだいぶ改善されている。ミステリーにうるさい読者にも充分楽しんでいただけるものと信じている。

さて物語だが、九月半ばの北海道、上川《かわかみ》盆地の一角に立つとある建物をふたりの男が偵察しているシーンから幕を開ける。彼ら――「俺」こと門脇雄介《かどわきゆうすけ》と丹羽史朗《にわしろう》はともに三四歳で、学生時代の友人同士。もっとも卒業以来久しく会っていなかったのだが、門脇が出勤途中にいつも立ち寄るコーヒーショップで再会、そこで丹羽が持ち出したのが「奇妙なゲームめいたセキュリティ・アタックへの誘い」だった。

門脇の勤めるセキュア・ミレニアムは名物経営者遠屋《とおや》敷一眞《しきかずま》率いる総合IT産業の関連子会社だったが、そこが企画したのが、丹羽のいう〝ブレイクスルー・トライアル〟。自社の研究実験施設に最新鋭の情報セキュリティを施し、一般から公募したチームに思い思いの方法で侵入を試みさせるというイベントである。何を企《たくら》んでいるのか、丹羽は競技に便乗して建物内にある遠屋敷の不正の証拠を記した文書を持ち帰りたいという。一億円の賞金は全額門脇のものにしていいと。学生時代、「建造物や私有地への侵入と脱出、そして逃走」というスタイルの様々な犯罪を研究していた門脇に、丹羽は早くから目をつけていたのだ。ちょっと旨過ぎる話ではあるが、門脇も参加を決意、ふたりは直ちに準備に入るが……。

かくして物語は当然、そのトライアルにおけるライバルチームとの競争が目玉になっていくのかと思いきや、著者は準備段階の後半に意外なヒネリや伏線を用意して、先を読ませない工夫を凝らして見せる。

しかも、続く第二章「競合」ではいったん本筋から離れて、さらに思いも寄らないサブストーリーが呈示されるのだが、第一章の「調査研究」からだけでも、本書の読みどころは充分お察しいただけるはずだ。

その第一は、もちろんセキュリティ・アタックという極めて今日的なテーマ設定である。本書で扱われるのは会社ビル等、建物の物理的な安全保守で、トライアルの舞台となる美瑛《びえい》の施設にはその最前線の技術が駆使されている。詳細については、読んでのお楽しみとしておきたいが、ひと昔前ならＳＦの道具立てとしか思えなかったようなものが刻々と実用化されつつあることは充分おわかりいただけるはず。嘘《うそ》だと思ったら、たとえばセキュリティ会社の大手「ＡＬＳＯＫ　綜合警備保障」のホームページなど覗《のぞ》いて見られよ。さすがに本書で使われているものは現実より一歩進んではいるが、それも遠からず実用化されるであろうこと、さらには一般家庭レベルでも応用されるであろうことは間違いない。

そしてまた、ミステリーファンとして嬉しいのは、門脇と丹羽の再会シーンでジャック・フットレルの「十三号独房の問題」に言及されていること。これは思考機械の異名を取る天才学者ヴァン・ドゥーゼン教授が堅牢《けんろう》な刑務所からやすやすと脱獄してのけるという短篇だが、本書がその古典的名作へのオマージュであることが出だしから明かされているのである。中盤からはジャック・フィニイやドナルド・E・ウェストレイク張りの強奪小説、侵入小説の要素も加味されるとなればなおさらで、著者が深いミステリー的教養の持ち主であるとともに、そうしたジャンルに強い愛着をお持ちであることもおわかりいただけよう。

　読みどころの第三は、門脇と丹羽と、主役がふたりいること。つまり相棒《バディ》小説のスタイルを取っているわけで、ふたりの絆《きずな》が浮き彫りにされる第一章はちょっと切ない青春小説系の趣《おもむき》もあり。このふたりはお互い特別な事情を抱えていたりもするので、それが友情と裏切りといった古典的かつストレートなテーマを妙とする相棒小説ともひと味違うところである。もっとも、ブレイクスルー・トライアルはチームで行われることもあって、中盤からは相棒小説というよりチーム小説の色合いが強くなる。特に注目は、第二章で登場するトライアルとは直接関係のないチームが紛れ込んでくること。前述したように、そこには思いも寄らないサブストーリーが用意されているわけで、それが破風崎《はふざき》と棟安《むねやす》、透《とおる》のギャングトリオと、草壁梓《くさかべあずさ》と梁本剛《はりもとつよし》の〝美女と野獣〟コンビのエピソードなのだ。ギャングトリオの魅力もさることながら、個人的に贔屓《ひいき》なのは後者のふたり。その馴《な》れ初《そ》めからして微笑ましいし、梓の父・修造《しゅうぞう》と「はみ出した布切れのようなものが大好きな」飼い犬ハルも脇役としては申し分なし。彼らを主役にしたシリーズのスピンオフをぜひ書いてほしいと思うのは、筆者だけではないだろう。

　トライアル本番の顛末《てんまつ》を描いた後半の第三部については、あまりタネ明かしをしてはなるまいが、施設内での人々の動きが絶妙の間合いでズラされていて、ハラハラドキドキのサスペンスを生み出していること、トライアルに参加した他のチームについてもちゃんと工夫が施されていることは強調しておいたほうがいい。そう、いろいろなチームが参加しているのに実際に出てくる他チームはひとつだけ。だがそのひとチームが凝っているというか、映像的な面白さに訴えたキャラ造型がなされていて、思わずクスリと笑ってしまうのは必至。

クライマックスにもサプライズが用意されているし、あるいは本書をバカミスと勘違いする向きもあるかもしれない。本書はだが、クライムコメディではあっても、決しておバカで破天荒な類《たぐい》ではない。トライアルに警察が関わらぬよう、ちゃんと配慮されているし、大仕掛けにも結構シリアスな理由付けがなされているのだ。シリアスといえば、ギャングトリオの参加により、後半には格闘シーンから銃撃シーン、爆破シーンまで登場する。血腥《ちなまぐさ》い場面だってなくはないが、〝オトナの童話〟としての活劇演出を身上とするこの著者は、過激を装いつつも最後までバランスを失うことはない。ここにはギャングも出てくるけど、〝人でなし〟は出てこない。いや、それらしいキャラは出てくるけれども、たちまち背景に押しやられてしまう。ロマン・ノワールならぬロマン・ブランカというか、その上品なる軽快さこそが伊園ミステリーの真骨頂なのである。

その作風を貫き通すのは見かけほど簡単ではないと思うが、門脇&丹羽コンビも海外に進出するようだし、ふたりが異国で活躍する続篇もぜひ期待しようではないか。

最後に著者のプロフィールについて。伊園旬は一九六五年、京都府生まれ。関西大学経済学部を卒業後、国内コンピュータメーカーに勤務していたが、現在は執筆に専念している。『このミス』大賞を受賞後、ご本人と会ったときはまだお勤めをされていたわけだが、出勤前の短いひとときも執筆時間に割いていたというお話をうかがったことがある。本書の冒頭、門脇の行きつけのコーヒーショップにいつも冒険小説のペーパーバックを読んでいる美人OLが現われるシーンが出てくる。伊園さんも執筆によくコーヒーショップを利用されていたそうだし、ミステリーファンならずとも気になるであろうそのOLのモデルも、もしかして伊園さんご自身ではないかと疑っているのだが、いかがなものか……。

それはさておき、著者はすでに第二作『ソリューション・ゲーム　日常業務の謎』（二〇〇八／宝島社）も刊行済。こちらは大学卒業後、定職についていなかった青年が、父が役員を務めるIT系企業の子会社――もともと社内の企業コンプライアンス対策室だった調査会社で様々なトラブルに対処するという連作スタイルの「IT企業版『スパイ大作戦』」小説だ。もちろん企業のセキュリティもテーマのひとつになっている。

続篇希望とねだってはみたものの、今後は作風も広げていかなくてはならないだろう。読者諸氏に、さらなるご支援ご贔屓を賜《たまわ》りたい。

宝島社
文庫

ブレイクスルー・トライアル（ぶれいくするー・とらいある）

2009年3月19日　第1刷発行

著　者　伊園　旬
発行人　蓮見清一
発行所　株式会社 宝島社
〒102-8388　東京都千代田区一番町25番地
電話：営業 03(3234)4621／編集 03(3239)0069
振替：00170-1-170829（株）宝島社
組　版　株式会社明昌堂
印刷・製本　中央精版印刷株式会社

First published 2007 by Takarajimasha, Inc.
ISBN 978-4-7966-6827-9